Os Militares e a República

Celso Castro

Os Militares e a República

um estudo sobre cultura e ação política

ZAHAR

1995
Direitos para esta edição contratados com:
Jorge Zahar Editor Ltda.
rua Marquês de S. Vicente 99 – 1º | 22451-041 Rio de Janeiro, RJ
tel (21) 2529-4750 | fax (21) 2529-4787
editora@zahar.com.br | www.zahar.com.br

Capa: Ana Paula Tavares e Mariana Zahar
Composição: Textos & Formas

Fotos:
na pág. 104 — Benjamin Constant à paisana, pouco depois do golpe de 1889. *Fundação Getulio Vargas/CPDOC — Arquivo Horta Barbosa*
na pág. 169 — Benjamin Constant fardado, pouco depois do golpe de 1889. *Fundação Getulio Vargas/CPDOC — Arquivo Horta Barbosa*

CIP-Brasil. Catalogação-na-fonte
Sindicato Nacional dos Editores de Livros, RJ

Castro, Celso

C35m Os militares e a República: um estudo sobre cultura e ação política / Celso Castro. — Rio de Janeiro: Zahar, 1995.

208p. — (Coleção Antropologia social)

Inclui bibliografia
ISBN 978-85-7110-335-1

1. Brasil — História — 1889- 2. Militares — Brasil — Atividades políticas. I. Título. II. Série.

95-1819 CDD: 981.05
CDU: 981

SUMÁRIO

INTRODUÇÃO

Em 15 de novembro de 1889, um grupo de militares derrubou a Monarquia e proclamou a República no Brasil. Esse golpe representou uma novidade na história brasileira. Desde a abdicação forçada de Dom Pedro I em 1831, os militares haviam permanecido, por quase seis décadas, basicamente leais e obedientes ao governo central, em contraste com o que ocorria em várias repúblicas sul-americanas no mesmo período. Além disso, 1889 foi um momento-chave da emergência dos militares como atores políticos no Brasil. Não apenas estiveram no governo durante os cinco anos seguintes, como também, no período republicano que se iniciava, o Brasil sofreria vários outros golpes militares.

A historiografia tradicionalmente aponta uma série de eventos que teriam levado ao golpe de 1889 — ou à "Proclamação da República", nome pelo qual ficou conhecido. O Exército, durante a Guerra do Paraguai (1864-1870), adquiriu uma identidade institucional antes desconhecida. Após a guerra, insatisfações no seio das Forças Armadas colocaram os militares numa posição suscetível de receber a influência de ideologias radicais. O movimento abolicionista, que envolveu vários oficiais, e a chamada "Questão Militar" — série de incidentes ocorridos entre militares e autoridades civis — levaram os militares a uma posição de franco antagonismo ao governo. A radicalização política gerada levou à fundação, em 1887, do Clube Militar, sob a liderança do marechal Deodoro da Fonseca — um dos principais implicados na "Questão" — e do tenente-coronel e professor da Escola Militar Benjamin Constant, que, com sua pregação positivista e republicana, mobilizou a jovem oficialidade do Exército. Finalmente, os militares levantaram-se contra a Monarquia.

Esse esquema é obviamente uma simplificação, mas quase sempre a mesma seqüência de eventos é citada. O que varia é uma infindável discussão a respeito de quem teria tido papel central na conspiração, quem teria sido o personagem determinante para o êxito do movimento e de quem partira a iniciativa. É óbvio que, nessa disputa, estavam envolvidos, para os autores mais antigos, ganhos políticos decorrentes da prerrogativa de registrar, cada um a seu modo, a memória histórica sobre o evento. Raramente se foge, no entanto, do esquema geral acima resumido. Creio que isso ocorre, em grande parte, por esse esquema *parecer* dar conta dos fatos. Por causa disso, disseminou-se para o senso comum histórico e, até hoje, informa textos escolares e trabalhos acadêmicos.

O 15 de Novembro foi um golpe vitorioso, que praticamente não encontrou resistência. Em função disso, a historiografia ficou marcada por três características que dificultam a compreensão dos motivos e da dinâmica da ação política dos militares. Em primeiro lugar, por uma sensação de *inevitabilidade histórica* da mudança da forma de governo — exceto, é importante ressaltar, nos trabalhos ideologicamente vinculados à Monarquia. O principal problema dessa visão do golpe como inevitável é a perda da dimensão de *risco político* presente nas ações dos personagens envolvidos: o golpe poderia, sim, ter fracassado, e a República não ter sido proclamada.

Outra característica que marca a historiografia sobre 1889 é o pressuposto de que, para além das disputas estritamente pessoais, os militares teriam apresentado, nos anos que vão do final da Guerra do Paraguai à República, uma razoável *unidade*. O fato de os golpistas não enfrentarem reação e a Monarquia aparentemente não ter conseguido empolgar militares dispostos a morrer por ela é muitas vezes apresentado como claro sinal dessa unidade. Como se verá, a falta de reação por parte dos militares presumivelmente "legalistas" pode ser atribuída a outros fatores que não a unidade do Exército na conspiração. A conseqüência histórica que o sucesso político do golpe trouxe, neste caso, foi a perda da percepção de que, se houve alguma unidade, ela foi o resultado precário de ações políticas que visavam alcançar a unidade da "classe militar", para usar expressão da época. Se houve "união", ela teve de ser construída através de ações concretas que devem ser apontadas com precisão. A unidade da "classe militar" não pode ser um elemento dado desde o início; é um ponto de chegada, não de partida.

De qualquer forma, creio que havia mais dissensão do que normalmente se imagina entre os militares nesses anos finais do Império — como pretendo fique claro ao final deste livro. Ignorar esse fato explica a comodidade com que se personalizam categorias sociais, como se fossem homogêneas. Usei no início, por exemplo, a expressão "um grupo de militares". Ela não é intercambiável com a expressão "os militares", tantas vezes presente nos escritos sobre 1889. No golpe republicano havia militares, mas não "os militares". Isso não é preciosismo nem desconhecimento de que o recurso à personalização, desde que bem controlado, facilita a descrição de eventos históricos e processos sociais; é o reconhecimento de que apenas um grupo de militares — pequeno e muito específico — participou da oposição à Monarquia, da conspiração e do golpe.

A grande maioria das praças, por exemplo, esteve ausente da conspiração e do golpe contra a Monarquia.[1] Da ampla categoria "os militares", agora reduzida aos oficiais, devemos retirar também a Marinha, pois sua participação foi mínima. Mesmo no Exército, os oficiais que participaram ativamente eram, em grande parte, jovens oficiais, de patentes inferiores. Com exceção de Deodoro da Fonseca, da preparação do golpe estiveram ausentes os generais, e havia muito poucos oficiais superiores. Finalmente, em sua maioria, os oficiais inferiores e alunos militares vinham dos chamados "corpos científicos" do Exército, constituídos pelas armas de estado-maior, artilharia e engenharia — na linguagem da época, eram a "mocidade militar". Não foi portanto a "classe militar" que deu o golpe, mas uma parcela muito específica. É preciso desfazer a imagem de que a necessidade de transição para a República era consensual entre a maior parte dos oficiais do Exército. A "classe militar", menos que

1. A hierarquia militar no final do Império era a seguinte, em ordem ascendente:
— *praças*: soldado, anspeçada, cabo, furriel, segundo-sargento, primeiro-sargento;
— *oficiais inferiores ou subalternos:* alferes, segundo-tenente, primeiro-tenente, capitão;
— *oficiais superiores:* major, tenente-coronel, coronel;
— *oficiais-generais:* brigadeiro, marechal-de-campo, tenente-general, marechal-de-exército.

uma entidade e mais que uma palavra, designava um complexo jogo de articulações em torno de alternativas de ação política.

Uma terceira característica do senso comum historiográfico — decorrente também, em grande parte, do sucesso do golpe — é vê-lo como o resultado final de um longo processo histórico, o ponto de chegada onde se realizaram "tendências" de longa data — para alguns, originárias da Guerra do Paraguai; para outros, antes mesmo disso, datando da formação do Estado brasileiro. Essa característica pressupõe de certa forma as duas anteriores: a República era historicamente inevitável; a existência de uma razoável unidade entre os militares havia atingido um grau que permitia explicar não só a ausência de reação ao golpe, como também que se falasse em uma entidade social chamada de "classe militar". O passo seguinte é ver essa classe "forjando-se" através de um processo que, mais ou menos longo, passa necessariamente pela Guerra do Paraguai e pela Questão Militar — eventos em que vai "adquirindo consciência" de sua identidade até o momento final de assalto ao poder.

Não desconheço de forma alguma a existência de fenômenos históricos gerais que moldaram e restringiram o *campo de possibilidades* (Velho, 1987) aberto aos atores sociais. Esses fenômenos existiram e serão examinados. Contudo, para além dos fatores que limitaram as opções disponíveis aos militares que fizeram a República, houve uma considerável margem de manobra para a formulação de projetos individuais e coletivos — projetos *conscientes*, e não construções que, vindas do passado, eram recebidas mais ou menos prontas e sem se saber ao certo por quê.

Inconsistências e problemas presentes na visão tradicional sobre como se chegou ao golpe de 1889 já foram apontados em diversos trabalhos de historiadores e cientistas políticos, dos quais este livro é, em grande medida, devedor. Revisões bibliográficas dos trabalhos mais antigos foram feitas na década de 60 por Emília Viotti da Costa (1965) e George Boehrer (1966). Na década de 70, surgiram dois importantes trabalhos de "brasilianistas" que tratam dos militares no final do Império: os de William Dudley (1972) e John Schulz (1994 [1973]). Para a compreensão tanto da política imperial quanto do início do regime republicano, a obra de José

Murilo de Carvalho (1978; 1980; 1987; 1988; 1990) é fundamental. Devo ainda mencionar os trabalhos de Edmundo Campos Coelho (1976) — a síntese mais abrangente disponível sobre o envolvimento do Exército na política —, e de June Hahner (1975) e Renato Lessa (1988) sobre a primeira década republicana. Finalmente, a respeito da Escola Militar ao final do Império, o melhor trabalho acadêmico disponível é o de Valeriano Costa (1990).

Minha maior dívida para com esses trabalhos está no fato de eles permitirem delimitar com precisão o objetivo deste livro. Pretendo descrever algo que não foi, até o momento, suficientemente estudado: como a idéia de República desenvolveu-se em um grupo específico de militares, ao final do Império, e como se chegou ao golpe de 1889. Geralmente se reconhece a jovem oficialidade do Exército com estudos superiores na Escola Militar — a "mocidade militar" —, liderada por Benjamin Constant, como o principal grupo de militares envolvidos em um projeto republicano. Falta, no entanto, uma delimitação sociológica mais precisa desse grupo, de suas diferenças em relação ao restante do Exército, e uma reconstituição mais detalhada de como se desenvolveu essa relação de liderança.

Estou interessado em compreender como se efetivou, entre esses militares, um *projeto* de República, que relações ele tinha com a *cultura* específica a esse grupo e que estratégias de *ação política* foram seguidas para implementá-lo. *Cultura* é entendida, nesse contexto, como as "estruturas de significado através das quais os homens dão forma à sua experiência" (Geertz, 1989:207); *ação,* como conduta prevista, baseada num projeto preconcebido (Schutz, 1979:123) — no caso, orientada para a *política,* "uma das principais arenas na qual tais estruturas se desenrolam publicamente" (Geertz, 1989:207). A noção de *projeto* — conduta organizada para atingir objetivos específicos — enfatiza o caráter consciente da ação. Isso não quer dizer que seja uma ação totalmente racional ou que elementos inconscientes não sejam importantes, e sim que o projeto é um instrumento básico para a negociação da realidade e a construção de identidades sociais (Velho, 1987; 1994).

Relacionar cultura e ação política, a propósito desse caso histórico específico, é o objetivo principal do livro. Enxergar "reflexos" e "influências" culturais em atividades políticas tornou-se senso comum. Creio que ninguém negaria a existência de "relações" entre uma coisa e outra. Por outro lado, muitas vezes se passa rapidamente de uma a outra, sem o ônus de reconstituir, explicitamente, os elos sociológicos intermediários, para dessa forma ver a ação política como "informada por um conjunto de concepções — ideais, hipóteses, obsessões, julgamento — derivadas de preocupações que a transcendem de longe, e dar realidade a essas concepções encarando-as como tendo existência não em algum mundo diáfano de formas mentais, mas na imediação concreta da luta facciosa" (Geertz, 1989:207).

Ao tentar isolar as conexões precisas entre cultura e ação política dos militares republicanos, pretendo completar uma lacuna existente nos estudos sobre o movimento que levou à implantação da República no Brasil. Freqüentemente, passou-se do terreno mais geral das idéias — o "abolicionismo", o "republicanismo", o "positivismo" etc. — ao da ação política mais factual, sem que se examinasse a realidade *social* dessas idéias. Não me interessa aqui, por exemplo, o positivismo como doutrina, mas o positivismo real, aquele que era efetivamente praticado pelos que se julgavam positivistas, quer estivessem de acordo ou não com o que se imagina ser a doutrina positivista.

As análises mais antigas sobre a ação dos militares na implantação da República oscilaram entre o determinismo e o voluntarismo — pólos que correspondem, *grosso modo*, ao das explicações "estruturais" e ao das explicações "psicológicas". De um lado temos grandes influências históricas e culturais que "moldam" a realidade social, em alguma medida determinando (em "última instância" ou mesmo em primeira) a ação dos militares; de outro, a psicologia dos "grandes homens" (e há muita discussão a respeito de qual o maior) envolvidos na proclamação da República, capazes de transformar a realidade a partir de atos de vontade. Entre os dois pólos varia também a importância histórica atribuída à ação dos militares: os fatos que antecederam o golpe seriam quase irrelevantes, mera factualidade a ser resumida em poucos parágrafos, ou, ao contrário, os mínimos atos e variações de humor dos grandes atores seriam fundamentais.

Para lidar ao mesmo tempo com eventos particulares e com fenômenos estruturais, pretendo seguir uma sugestão de Sahlins: interpor um terceiro termo entre a estrutura e o evento, a *estrutura da conjuntura*, "a realização prática das categorias culturais em um contexto histórico específico, assim como se expressa nas ações motivadas dos agentes históricos, o que inclui a microssociologia de sua interação" (1990:15). Isso deve algo, como reconhece Sahlins, à noção de *organização social* de Firth. Enquanto "estrutura social" geralmente é representada como um conjunto de relações ou de padrões ideais, o conceito de "organização social" traduz a idéia de "processo social, o arranjo da ação em seqüências em conformidade com fins sociais selecionados" (Firth, 1974:52-3). Com isso, pretende-se enfatizar a noção de que — para além das estruturas existentes — podem ser adotadas linhas de ação variantes, não previstas ou recomendadas — que a ação social envolve o exercício da escolha, da tomada de decisões. Retornando a Sahlins, na ação os indivíduos submetem as categorias culturais a riscos empíricos; por vezes deixam de ser escravos de seus conceitos para se tornarem seus senhores, pois "o mundo não é obrigado a obedecer à lógica pela qual é concebido" (1990:174).

Creio que essas perspectivas, da forma pela qual delas me apropriei, são muito próximas às de Geertz quanto à conexão entre cultura e política e de Velho e Schutz sobre campo de possibilidades e projetos, mencionadas anteriormente. É no quadro desse *bricolage* teórico que pretendo mover-me. Espero que o livro seja uma demonstração prática de que essas preferências teóricas fazem sentido.

Para cumprir o que me proponho, foi preciso enfrentar duas tarefas: fazer uma etnografia da cultura dos militares republicanos e dar minha versão de como as ações visando a instituir a República se desenrolaram. Desde o início da pesquisa, surgiu um formidável problema de ordem prática: o das fontes. Em relação ao objeto do livro, não há um terreno factual consolidado pelo qual possamos circular sem perigos. Essa dificuldade é comum a toda pesquisa que envolva temas históricos. No presente caso, entretanto, em função das três armadilhas, já mencionadas, que o sucesso do golpe armou para a historiografia, a situação talvez seja pior que a da média. As versões deixadas pelos atores e testemunhas da época, bem como de historiadores preocupados em se posicionar ideologicamente a respeito do golpe, estão inseridas num campo de disputas acirradíssimo.[2] Isso leva, muitas vezes, a imprecisões,

2. Meu objeto não é a historiografia sobre o golpe de 1889; esta será utilizada apenas como fonte. Para um mapeamento e análise das diferentes versões presentes na historiografia republicana, ver Carvalho, J. (1990, cap. 2).

falseamentos e "esquecimentos" propositais, variando conforme o ponto de vista que se quer defender. Como, então, minimizar os perigos de se utilizar esse material como fonte? A solução não é original: checar exaustivamente os dados, comparar muitas versões, buscando sempre que possível confrontá-las com as fontes originais nelas referidas e, principalmente, investir na busca e utilização de novas fontes.

Gostaria de dar dois exemplos concretos. A reconstituição dos atos e a interpretação da visão de mundo e dos objetivos políticos de Benjamin Constant têm sido feitas quase que exclusivamente a partir da volumosa biografia escrita por Teixeira Mendes (1913), então vice-diretor da Igreja Positivista do Brasil. Publicada pouco após a morte do biografado, e com a finalidade explícita de fazer a propaganda do positivismo, essa biografia tornou-se a matriz de todas as que foram escritas posteriormente. Para fugir à "ditadura" imposta por esse livro, consultei o arquivo privado de Benjamin Constant em sua totalidade e vasculhei papéis de alguns de seus familiares.[3] Somente através do exame de documentos muitas vezes inusitados, como o diário de uma de suas filhas, balancetes de despesas e dívidas pessoais, notas para aulas de matemática e tantos outros — além, é claro, da pesquisa às referências existentes no maior número possível de outras fontes —, é que pude apresentar minha versão de sua biografia, ou melhor, dos pontos de sua biografia sociologicamente relevantes para os objetivos deste livro.

O segundo exemplo refere-se à Escola Militar da Praia Vermelha, sempre mencionada como importante centro de formação da mentalidade militar característica da época. A bibliografia existente repete antigas versões sobre o ambiente e o clima intelectual existentes na Escola, sem examinar a sério a vida cotidiana na instituição. Neste caso, infelizmente não foi possível localizar o arquivo da Escola relativo à década de 1880.[4] A alternativa foi utilizar extensamente, entre outras fontes, o material constituído de revistas publicadas pelos alunos da época e de dezenas de cartas

3. O Arquivo Benjamin Constant (BC) está localizado no Museu Casa de Benjamin Constant, no Rio de Janeiro.

4. Apesar de indicações de que o arquivo da Escola teria sido recolhido ao Arquivo Histórico do Exército, não foi possível localizá-lo. No Arquivo Nacional está a parte referente ao período que vai até 1874, quando a Escola funcionava no Largo de São Francisco.

escritas ao longo de vários anos pelo aluno José Bevilacqua — que viria a ser genro de Benjamin Constant — a seus pais, desde sua chegada na Corte até o momento em que, emocionado, falou da República que acabara de ser fundada e para a qual tinha dado sua parcela de contribuição.[5]

São fontes como essas — inéditas ou então muito pouco trabalhadas pela historiografia — que, ao lado do trabalho de depurar as versões existentes, permitirão, nos capítulos seguintes, fugir das limitações de que os trabalhos disponíveis se ressentiram e apresentar minha versão sobre como um grupo de militares se orientou em relação à idéia de República. Muitas vezes, a identificação e a incorporação de novas fontes só se tornam possíveis a partir do momento em que se alcança uma visão sociologicamente mais definida a respeito dos personagens e eventos analisados; de outra forma, essas fontes não seriam identificadas ou não teriam onde se "encaixar". Trata-se portanto de um processo de mão dupla: novas fontes permitem maior definição do objeto, o que por sua vez permite incorporar novas fontes e fazer uma *releitura* das antigas. Esse movimento torna possível descer ao nível microscópico, cotidiano, sem perder de vista o fato de que ali estarão ocorrendo fenômenos de maior amplitude. À descrição desse encontro entre eventos e cultura chamo *etnografia* — é o que pretendo fazer.

5. O Arquivo José Bevilacqua (JB), depositado no Museu Casa de Benjamin Constant, não estava ainda organizado quando realizei a pesquisa. Dessa forma, as referências feitas no decorrer do livro indicarão apenas a data do documento, quando disponível.

1
A Mocidade Militar

Se não foram genericamente "os militares" que conspiraram pela República no Brasil, é preciso caracterizar os grupos de militares que o fizeram. A literatura quase sempre destaca Deodoro da Fonseca e Benjamin Constant como os principais líderes da conspiração e do golpe. O papel de Floriano Peixoto costuma reduzir-se, estando na importante função de ajudante-general do Exército — estratégica para a defesa do governo —, a não ter cumprido ordens de atacar os revoltosos no dia 15 de novembro.

Para além dos líderes, é importante ver a que grupos eles estavam ligados. Deodoro aparece às vezes unindo todo o Exército, outras vezes representando apenas os oficiais de perfil mais *troupier*, os "tarimbeiros". Este termo depreciativo vem de "tarimba", estrado de madeira onde dormiam os soldados nos quartéis, e designava oficiais ligados à tropa, geralmente sem estudos superiores. Minha visão de Deodoro, a ser examinada posteriormente, é a de um chefe militar levado ao confronto com o governo por questões de defesa da "honra" do Exército e por especificidades da política do Rio Grande do Sul; não por convicções republicanas. Benjamin Constant aparece invariavelmente ligado à jovem oficialidade com estudos superiores ou "científicos" — a "mocidade militar" —, da qual seria "mestre", "líder", "catequizador" ou "apóstolo", principalmente por ter sido durante muitos anos professor de matemática na Escola Militar. Atribuo exatamente a esse grupo — a "mocidade militar" — o papel de elemento iniciador e dinâmico da conspiração republicana no interior do Exército.

Essa afirmação é original em relação aos pontos de vista disponíveis. Se, para vários autores, principalmente os vinculados à tradição positivista, Benjamin Constant e seus jovens liderados teriam sido o elemento principal na conspiração que levou ao golpe de 1889, minha perspectiva ilumina não o "líder" ou "mestre", mas seus pretensos "liderados" ou "discípulos". Ao invés de assistirmos a Benjamin Constant "catequizando" a juventude militar do alto de sua cadeira de matemática na Escola Militar, encontraremos o "mestre" a ser seduzido e convertido para o ideal republicano, justamente pela "mocidade militar".

Antes porém da descrição etnográfica do universo cultural desse conjunto de militares e da narrativa dos acontecimentos, é importante apontar, aqui, processos históricos mais amplos que moldaram o campo de possibilidades aberto aos atores sociais — à "mocidade militar" especificamente. A própria existência de uma oficialidade formada ainda jovem numa Academia Militar está relacionada a uma tendência internacional, consolidada na primeira metade do século XIX, de profissionalização e burocratização da carreira militar. Um aspecto fundamental desse processo, nas mais variadas sociedades ocidentais, foi a profissionalização do corpo de oficiais e a democratização dos mecanismos de ingresso no oficialato. Antes, os oficiais em geral ou eram mercenários ou recrutados quase que exclusivamente entre a aristocracia — casos em que ser oficial, mais que uma profissão, era, respectivamente, um negócio ou uma ocupação secundária.

Por outro lado, a tropa de soldados deixava de ser profissional com a adoção generalizada, no período compreendido entre a guerra franco-prussiana de 1870 e a Primeira Guerra Mundial, do serviço militar obrigatório dos cidadãos por um determinado espaço de tempo. Após a vitória da Prússia na guerra contra a França, o sistema prussiano de conscrição, baseado no serviço militar obrigatório e considerado um dos fatores decisivos para a vitória, generalizou-se pelos exércitos europeus e japonês. Dessa forma, disseminou-se a noção de "Nação em Armas", segundo a qual todo cidadão era um soldado em potencial, e as forças armadas, além de responsáveis pela defesa nacional, uma espécie de "escola da nacionalidade", já que idealmente recrutariam elementos de todos os setores da população, de todas as origens sociais, dotando-os de um sentimento de unidade nacional. Assim, apenas o corpo de oficiais passava a ser permanente; a base da instituição — as praças — sofreria renovações periódicas. No Brasil, em 1874, uma lei modificou o sistema de recrutamento, até então constituído pelo voluntariado ou pelo recrutamento forçado, instituindo o sorteio para o serviço militar, realizado entre todos os cidadãos aptos. No entanto, a lei não foi aplicada.[1]

No processo de profissionalização dos exércitos modernos, a existência de academias militares com acesso "democratizado" — isto é, sem a exigência de berço aristocrático para seus alunos — desempenha papel absolutamente central. Durante o período imediatamente posterior às guerras napoleônicas, a maioria dos países ocidentais criou academias militares e aboliu ou relaxou restrições ao ingresso no corpo de oficiais. Com isso, cada vez mais o *espírito* do oficialato — sua identidade social — deixou de estar referido a um espírito de classe aristocrático e passou a centrar-se na própria instituição. A hierarquia da instituição militar tendeu a desvincular-se da hierarquia social. Se, nos exércitos pré-modernos, o corpo de oficiais estava "ancorado" na sociedade em virtude de sua origem aristocrática, com a profissionalização, desenvolveu um *ethos* específico. Tornou-se, dessa forma, um grupo profissional dotado de *relativa* autonomia em relação ao restante da sociedade. A aristocracia de berço foi progressivamente substituída pela aristocracia do mérito, aferido através da educação. Por volta de 1870, esse processo se encontrava razoavelmente consolidado na maioria dos exércitos ocidentais.[2]

No Brasil, em 1810, foi criada, pelo príncipe regente Dom João, a Real Academia Militar. O curso da Academia não era considerado, nessa época, indispensável para o ingresso no corpo de oficiais e para a ascensão na hierarquia militar. Só em 1850 é que ele se configurou, embora progressivamente, como pré-requisito para o oficialato e para a ascensão na carreira. Entretanto, se em 1889 a profissionalização do corpo de oficiais se encontrava razoavelmente adiantada,

1. As razões devem-se em parte à resistência de setores do poder econômico, preocupados com a perda, mesmo temporária, da força de trabalho. Outro motivo era a grande aversão que a maioria dos civis manifestava em relação à vida no Exército (ver, a respeito, Beattie, 1994). A adoção de alguma forma de serviço militar obrigatório no Brasil é item constante, durante a segunda metade do século XIX, da pauta de reivindicações de amplos setores do Exército por reformas na instituição. Sua implantação efetiva, no entanto, teria de esperar o próximo século.

2. A bibliografia para esse esquema do processo de profissionalização dos exércitos ocidentais é extensa. Destaco os livros clássicos de Huntington (1957) e Janowitz (1960).

o mesmo não ocorria com o restante da corporação. Seriam necessárias algumas décadas para que se modificasse o perfil das praças. Além disso, uma série de medidas de reforma e modernização do Exército — como a criação de um Estado-Maior, a adoção de novas doutrinas de instrução, a construção ou recuperação de antigas instalações e a compra de armamentos eficientes — não foi implementada.

A principal explicação para essa situação desanimadora está na posição marginal ocupada pelo Exército durante o Império. A supremacia do poder civil foi justamente uma das características mais notáveis da política imperial. Militares que ocuparam importantes posições políticas, como Caxias e Osório, o fizeram predominantemente na condição de representantes de partidos; não do Exército. O predomínio do poder civil era motivo de orgulho para a Monarquia, principalmente quando se comparava a situação do Brasil com a de seus vizinhos. Da parte de alguns políticos liberais, chegaram mesmo a surgir propostas para a extinção do Exército. A criação da Guarda Nacional (1831) foi vista com apreensão por muitos militares, pela ameaça potencial que representava: eventualmente vir a substituir o Exército como força de defesa.

Para José Murilo de Carvalho (1980), o controle civil da política durante o Império foi em grande parte possível graças à homogeneidade da elite portuguesa e, posteriormente, brasileira. Em vez de baseada numa origem social comum, essa homogeneidade era de natureza principalmente ideológica, produzida pelo treinamento e pela socialização profissional e política. A educação superior, com o predomínio absoluto dos cursos de direito, foi importante elemento de unificação ideológica da elite política imperial. Com essa coesão, os conflitos internos aos grupos dominantes foram reduzidos, bem como a gravidade de conflitos sociais mais amplos.

A "mocidade militar" com estudos superiores sofria, portanto, dupla marginalização: como parte do Exército dentro da ordem monárquica dominada pelos bacharéis em direito e como um grupo de oficiais com estudos superiores dentro de um Exército que não se modernizava. O isolamento e o ressentimento daí resultantes possibilitariam o desenvolvimento de características ideológicas distintas e em grande parte contrárias às da elite civil.

É preciso agora investigar mais de perto o perfil dos oficiais do Exército e caracterizar sociologicamente os diferentes grupos de militares. Um bom ponto de partida é o trabalho de Dudley (1972), que comparou a carreira de 79 oficiais que representavam três diferentes grupos de idade, posto e experiência em 15 de novembro de 1889. Eles foram escolhidos ao acaso em um grupo relativamente restrito, generais ou futuros generais. Suas carreiras bem-sucedidas os colocam como grupo de elite, dessa forma sendo bem possível que as eventuais frustrações por que tenham passado se afigurassem mais intensas e significativas para a maioria dos outros oficiais que nunca atingiram o generalato.

Tomando o ano de 1889 como referência, Dudley dividiu os dados segundo um esboço hipotético de três gerações de oficiais, correspondendo à tradicional divisão da hierarquia militar em escalões: *senior officers* (oficiais-generais), *middle-ranked officers* (oficiais superiores, de major a coronel) e *junior officers* (oficiais inferiores ou subalternos, de alferes-aluno a capitão). Esse procedimento revelou uma estreita correspondência entre os escalões hierárquicos e uma divisão do corpo de oficiais segundo as diferentes experiências de combate até 1889, tendo como marco fundamental a Guerra do Paraguai: *prewar generation*, *war generation* e *postwar generation*. Dudley crê que as experiências militares que esses grupos de oficiais tiveram (ou deixaram de ter) seriam cruciais na formação de atitudes com relação ao papel do Exército e ao seu relacionamento com a Monarquia. Aos dados fornecidos por Dudley, acrescentarei outros retirados de Schulz (1994[1973]). Juntos, os dois estudos renovaram, com pesquisas empíricas, a historiografia a respeito do Exército no final do Império. O quadro resultante, embora montado a partir de dados fornecidos por esses dois autores, é uma adaptação específica para os interesses deste livro. Vejamos então o perfil dos oficiais das três gerações, alertando para o fato de que se trata de tipos ideais, no sentido weberiano.

O oficial da *prewar generation* (ou *senior officer*) ingressou no Exército na década de 1830. Se fosse de um dos "corpos científicos", provavelmente teria cursado a Academia Militar; caso contrário, suas chances de ter feito estudos superiores oscilariam entre 10 e 20%, apenas. Durante sua carreira, participou de dois ou três importantes conflitos militares, dentre as várias revoltas nas províncias durante a Regência (1831-1840), a campanha da Argentina contra Rosas (1851-1852) e a Guerra do Paraguai. Ao iniciar-se esta última, era um oficial de médio escalão e teve provavelmente suas promoções aceleradas graças à expansão do Exército e às muitas baixas durante a guerra. Em 1870, era coronel. Se fosse de infantaria ou cavalaria, teria promoções um pouco mais lentas que as dos oficiais dos "corpos científicos". De qualquer forma, caso fosse atingir o generalato, o faria até 1880. Em 1889, tinha cerca de 65 anos de idade e estava entre os que ocupavam os mais altos comandos do Exército.

O oficial da *war generation* (ou *middle-ranked officer*) entrou no Exército na década de 1850. Se fosse de um dos "corpos científicos", teria cursado a Academia Militar; caso contrário, as chances de ter feito estudos superiores seriam não maiores que um terço. Sua única experiência de combate foi na Guerra do Paraguai, como oficial subalterno. Em geral, recebeu apenas uma promoção durante a guerra. Em 1889, tinha cerca de 50 anos de idade e era oficial superior (major, tenente-coronel ou coronel).

Finalmente, o oficial da *postwar generation* (ou *junior officer*) entrou no Exército após o final da Guerra do Paraguai e, portanto, não participou de combates durante sua breve carreira. Se fosse dos "corpos científicos", teria cursado a Academia Militar, já então chamada de Escola Militar e localizada na Praia Vermelha; se fosse de infantaria ou cavalaria, teria uns 50% de chance de tê-la cursado. Em 1889, tinha cerca de 30 anos e era tenente ou capitão.

Toda a bibliografia sobre o Exército entre a Guerra do Paraguai e a República menciona a insatisfação dos oficiais com as promoções lentas, os salários baixos e a precária situação financeira do Exército. No entanto, não há pesquisa empírica em relação a esse ponto até as teses de Dudley e Schulz.

Para medir o ritmo de promoções, Dudley dividiu cada uma das três gerações em dois grupos, incluindo em um oficiais dos "corpos científicos" e, em outro, oficiais de infantaria ou cavalaria. Esses grupos progrediram em ritmos diferentes: os oficiais de infantaria ou cavalaria sempre com promoções mais lentas. Entre as três gerações dos "corpos científicos", as diferenças não são tão pronunciadas, embora o grupo da *war generation* seja o mais afetado, em grande parte devido à abertura de menos vagas para promoção em postos de médio escalão no imediato pós-guerra. Dudley conclui que apenas entre os oficiais da *war generation* se pode suspeitar da presença do sentimento que ele chama de *promotion frustration*.

O exame da situação financeira do Exército no período 1870-1889 aponta para um claro declínio. As despesas caíram de cerca de

15% do total nacional nos anos seguintes ao final da Guerra para cerca de 10% durante toda a década de 1880, o que indica não estar o Exército entre as prioridades nacionais. A decorrência natural dessa situação foi a adoção de diversas medidas visando diminuir os gastos, como, por exemplo, a transferência de estabelecimentos sob a responsabilidade do Ministério da Guerra para ministérios civis. O efetivo do Exército também foi afetado, havendo redução do número de praças. O efetivo caiu de cerca de 16 mil nos anos seguintes à Guerra do Paraguai para 13,5 mil durante toda a década de 1880, segundo Dudley, ou de cerca de 17 mil para 14,3 mil no mesmo período, segundo Schulz.

Quanto aos salários dos oficiais, os dados são mais complicados: a parte fixa do salário do militar (o "soldo") corresponde a apenas uma parte do total de seus vencimentos, com a parte restante variando em função de comandos ou cargos em comissões, ajudas de custo para transferências etc. De qualquer forma, entre 1852 e 1887 os oficiais não tiveram aumento de soldo, apesar de um aumento previsto em 1873 porém não posto em vigor. Se levarmos em conta que a inflação no período 1857-1887 foi estimada em cerca de 51%, fica evidente que essa situação era fonte de descontentamento para os oficiais. No entanto, o aumento de dois terços finalmente posto em vigor em 1887 ao menos corrigiu a inflação do período. O longo período sem aumentos deve ter atingido principalmente os oficiais da *war generation.* Os da geração anterior receberam aumentos de soldo em 1841 e 1852, além de um aumento dos outros vencimentos em 1857, enquanto os da *postwar generation* receberam o aumento de 1887 ainda no início de suas carreiras.

Tomando todos esses dados em conjunto, é possível estabelecer o grupo da *war generation* como o mais prejudicado profissionalmente, aquele que passou mais tempo sem receber aumentos nos vencimentos e que teve promoções mais lentas (embora isso, como vimos, seja válido mais para os oficiais de infantaria e cavalaria). O descontentamento daí gerado permitiria entender a indiferença dessa geração de oficiais de escalões médios diante do movimento que levou à derrubada da Monarquia. Por outro lado, esses dados não explicam o comportamento radical dos *junior officers,* que não experimentaram promoções lentas nem longos períodos sem aumento de vencimentos. Caso esses dados fossem indicativos de uma maior propensão a participar de um movimento radical contra o governo, o grupo dos *junior officers* seria o menos cotado, justamente o contrário do que ocorreu. Como explicar isso?

Entramos aqui em terreno bastante escorregadio. As interpretações existentes apontam para um sentimento de frustração profissional entre os oficiais superiores (ou da *war generation*, para usar a terminologia de Dudley), decorrente da guerra, da consciência da necessidade de reformas no Exército e da decepção com o fracasso em implementá-las. Para quase todos os autores, o potencial disruptor dessas insatisfações, evidente na chamada "Questão Militar" de 1886-1887, seria resultado de um longo processo de formação de uma oposição militar. Schulz, por exemplo, afirma, logo no início de sua tese, que pretende traçar a trajetória do grupo dos *educated young officers* através de 40 anos da história brasileira, desde seu surgimento com as reformas profissionalizantes de 1850, passando pela Guerra do Paraguai e culminando na República. Um trabalho mais recente transmite a imagem de um "núcleo profissional" do Exército que, após a Guerra do Paraguai, se teria alojado nas escolas militares, "*locus* onde a visão crítica seria daí por diante elaborada e a experiência transmitida às novas gerações de oficiais" (Costa, W., 1990:500).

Minha visão a respeito da geração de oficiais médios que defendia reformas no Exército será abordada no capítulo sobre a Questão Militar. Posso adiantar desde já que a imagem de oficiais da *war generation* transmitindo suas insatisfações profissionais aos estudantes e por fim levando-os ao republicanismo — somada à influência do abolicionismo e à do positivismo — é irreal. Em primeiro lugar porque muito poucos oficiais da *war generation* se tornaram politicamente radicais e adotaram posições republicanas — pelo menos antes de 15 de novembro de 1889. A impressão de uma maioria simpática à República é, como disse, decorrente mais do sucesso político do golpe do que de uma situação de fato. Em segundo lugar, não encontrei professores da Escola Militar atuando como elementos de radicalização política junto a seus alunos, e sim justamente o contrário. As diferenças entre as gerações de jovens e médios oficiais, bem como entre oficiais "científicos" e "tarimbeiros",[3] são mais significativas que suas semelhanças. Chegamos assim

3. O termo "tarimbeiro" é aqui utilizado, bem como em outras passagens deste livro, não em seu sentido depreciativo original, e sim para designar os oficiais de perfil mais *troupier*, geralmente das armas de infantaria e cavalaria, distintos dos "científicos", geralmente das armas de estado-maior, artilharia e engenharia.

a um ponto onde apenas o desenvolvimento do trabalho poderá dar substância a meu argumento.

Uma questão que continua aberta é a da origem social dos militares ao final do Império. Na falta de pesquisas empíricas, alguns lugares-comuns estão sempre presentes, quase adquirindo o *status* de fato comprovado. O principal deles diz que após a Guerra do Paraguai o Exército teria ganho perfil de "classe média", passando a representar os interesses desse então nascente segmento social. Há duas dificuldades principais nesta afirmação. A primeira, definir sociologicamente o que seja "classe média", principalmente num período em que ela estaria ainda incipiente. A segunda, configurar esta idéia teoricamente.

Há, na produção acadêmica sobre os militares no Brasil, duas visões básicas a respeito da importância da origem social para a compreensão do comportamento político e da visão de mundo dos militares. Uma privilegia a posição por eles ocupada na estrutura social, a partir da "classe", "camada" ou do "estrato" de que seriam originários — o que os tornaria de alguma forma "representantes" desses grupos. Outra visão privilegia o peso da socialização profissional a que são submetidos os militares e a rede de interações sociais em que vivem.[4] Compartilho desta segunda perspectiva teórica, e creio que a pergunta mais importante a respeito da origem social é como ela é *percebida* e *representada* pelos indivíduos, e de que modo isso afeta suas ações. O assunto fica, portanto, imerso no campo da *cultura*.

Uma exceção à falta de dados quantitativos sobre a origem social dos militares no final do Império é a tese de Schulz, que tabulou informações presentes em obras biográficas e fés-de-ofício sobre os *generais* de três períodos históricos: 1831-1864, 1864-1889 e 1889-1894. Os primeiros dados são sobre o *status* do aluno quando matriculado na Academia Militar. Durante o Império, havia o título de "cadete", introduzido em Portugal em 1757, quando ainda não havia uma academia militar, e exclusivo de jovens nobres que estives-

4. Para um sumário dessas duas perspectivas teóricas, ver Coelho, E. (1985).

sem recebendo educação militar nos corpos de tropa antes de ascenderem ao oficialato. O jovem nobre teria assim preservadas suas prerrogativas aristocráticas, recebendo honras de oficial. Trazido para o Brasil, esse sistema foi modificado, admitindo-se o título de "cadete" para pessoas de condição social não-nobre — como oficiais superiores do Exército e da Guarda Nacional —, e ampliando-se dessa forma a base de recrutamento de oficiais. Posteriormente foram também criados os títulos de "segundo-cadete", para filhos de oficiais subalternos do Exército ou da Guarda Nacional; e "soldado particular", para filhos de funcionários públicos de *status* equivalente ao dos oficiais ou negociantes endinheirados (Cunha, R., 1966; Cidade, F.P., 1961). Na amostra de Schulz também surgiram, além dessas categorias, casos de oficiais que receberam patentes "diretas" (considerados pelo autor como vindos da elite[5]) ou rápidas (considerados como podendo ou não ter vindo da elite). Os segundos-cadetes e soldados particulares foram vistos como não oriundos da elite. Modificando a apresentação dos dados de Schulz (1994:206), temos o seguinte quadro:

Quadro 1: origem social

	1831-1864	1864-1889	1889-1894
Elite	85,5%	42,9%	35,0%
Talvez elite	9,0%	19,6%	22,5%
Não-elite	5,5%	37,5%	42,5%
	(N=55)	(N=56)	(N=40)

Os dados mostram o fim do monopólio que a elite aristocrática[6] mantinha sobre os postos superiores do Exército na primeira metade

5. Por "elite" Schulz entende "a classe que participava da política nacional e podia passar uma temporada na capital, com bastante conforto. Este grupo, que constituía talvez um por cento da população, era formado por fazendeiros e comerciantes ricos, sem contar os altos funcionários civis e militares. A 'elite' estava claramente separada da classe superior e da classe média locais: a classe superior local, da qual haviam saído muitos oficiais, era geralmente pobre e uma viagem ao Rio significava para ela uma grande despesa" (1994:28). Entre os principais grupos da "não-elite", Schulz coloca pequenos fazendeiros, funcionários públicos médios e oficiais subalternos.

6. O termo "aristocracia" deve ser cuidadosamente utilizado quando se fala do Brasil. Para designar o conjunto de pessoas socialmente privilegiadas por herança, sim; não com o significado de "nobreza".

do século: "Em 1850, os comandantes do Exército brasileiro eram aristocratas que haviam subido rapidamente graças a influências familiares. Por volta do fim do Império, cerca da metade dos generais brasileiros era oriunda de famílias inferiores e havia chegado ao topo graças à sua competência profissional, seleção burocrática e amizades feitas durante os anos de serviço" (Schulz, 1994:205). O Exército passou gradualmente a tornar-se, dessa forma, uma "carreira aberta ao talento". Nos postos intermediários, é provável que o percentual de membros não pertencentes à elite fosse ainda maior.

É preciso relativizar o que se entende por "não-elite". Segundo o censo de 1872, de uma população livre de oito milhões e meio de habitantes, havia menos de doze mil alunos matriculados nas escolas secundárias e, no país como um todo, não mais que oito mil pessoas com educação superior (Carvalho, J., 1980:65). No conjunto da população brasileira, mesmo os oficiais de origem mais humilde pertenciam à minúscula porcentagem de letrados que receberam alguma educação além da básica.

De qualquer modo, ocorreu uma mudança no perfil do oficialato, a partir da abertura da carreira a pessoas de pequeno capital social herdado que ascendiam basicamente através do mérito individual. Essa possibilidade teve origem na reforma da lei de promoções feita pelo ministro da Guerra, Manuel Felizardo de Sousa e Melo, em 1850. O sistema de promoções foi racionalizado, impedindo promoções rápidas motivadas por vínculos de origem política ou aristocrática e estabelecendo alguns requisitos acadêmicos. A ascensão hierárquica dos oficiais nas armas "científicas" passou a estar condicionada à conclusão do curso na Escola Militar; caso contrário, seriam transferidos para a infantaria ou a cavalaria. Mesmo para estas armas, a lei estabelecia privilégios para os que possuíssem curso superior. Como resultado, já em 1857 todos os oficiais das armas "científicas" haviam concluído o curso de suas armas na Escola Militar. Na infantaria e na cavalaria, a evolução foi mais lenta: em 1857, apenas 8,1% dos oficiais superiores e 12,3% dos oficiais subalternos dessas armas tinham o curso superior. Em 1891, a proporção se tinha elevado para 56,3% e 24,7%, respectivamente (Schulz, 1994:210). Até o final do Império, permaneceu, portanto, clara a separação entre "científicos" e "tarimbeiros".

A adoção de regras racionais e burocráticas de ascensão na carreira diminuiu a atração que a carreira militar poderia exercer sobre membros da elite, já que reduzia as possibilidades de ascensão através de laços de parentesco ou de apadrinhamento político. O Exército tornou-se, cada vez mais, uma instituição profissional meritocrática, aumentando a importância dos vínculos estabelecidos dentro da própria corporação e diminuindo o peso de fatores externos, como origem social e conexões de parentesco. Apenas o desenvolvimento desse processo é que permitiria, futuramente, a participação da *instituição* na política.

A profissão paterna, na amostragem de generais apresentada por Schulz, é dado que merece um exame maior. Os dados possuem muitas lacunas, pois, a menos que se tratasse de filhos de oficiais, os documentos de matrícula raramente registravam a ocupação do pai. Porém, o universo de filhos de militares tem peso importante na amostra e permite — tomando-se em conjunto diferentes períodos históricos — que se observe qual o grau de recrutamento endógeno e se ele estava em tendência crescente ou decrescente no decorrer do Império. O quadro seguinte faz uma adaptação dos dados de Schulz (1994:207):

Quadro 2: filiação

	1831-1864	1864-1889	1889-1894
Militar	58,2%	53,6%	32,5%
Civil	41,8%	46,4%	67,5%
	(N=55)	(N=56)	(N=40)

A porcentagem de filhos de militares que ingressavam na corporação — isto é, o grau de recrutamento endógeno — estava em tendência *decrescente* durante o Império: 58,2% para os generais de 1831-1864 e 32,5% para os de 1889-1894. Deve-se notar que os generais de 1889-1894 ingressaram na Academia Militar provavelmente durante a década de 1850. Nas décadas finais do Império, se essa tendência foi mantida, a porcentagem de filhos de militares deve ter sido ainda menor. Decompondo-se esse componente militar segundo o nível hierárquico dos pais dos cadetes, temos:

Quadro 3: nível hierárquico dos pais militares

	1831-1864	1864-1889	1889-1894
Generais	46,9%	33,3%	38,5%
Of. superiores	50,0%	53,3%	46,1%
Of. subalternos	3,1%	13,3%	15,4%
	(N=32)	(N=30)	(N=13)

A diminuição do número de filhos de generais e o aumento do número de filhos de oficiais subalternos durante o período parecem indícios, como pensa Schulz (1994:207), do enfraquecimento do controle do generalato pela elite.

Os dados acima apresentados permitiram visualizar alguns elementos básicos que caracterizaram o Exército no final do Império: adoção crescente de critérios burocráticos de promoção e do sistema de mérito, seus efeitos no sentido de abrir a carreira a pessoas não pertencentes à elite e, por fim, separação, em relação à formação acadêmica, entre armas "científicas" e "tarimbeiras". É nesse quadro que podemos compreender o surgimento da "mocidade militar" característica do período 1874-1889. O perfil social desse grupo merece especial atenção.

Um caminho pode ser o exame dos "pactos de sangue" — expressão pela qual ficaram conhecidos os abaixo-assinados recebidos por Benjamin Constant poucos dias antes do golpe, hipotecando-lhe solidariedade incondicional até a morte. Creio lógico supor que grande parte da "mocidade militar" tenha assinado tais documentos.[7]

Assinam os pactos 173 pessoas, todas militares. Examinando as patentes, vemos que havia apenas dois oficiais superiores. Restam 13 capitães, 37 tenentes, 120 alunos de escolas militares (incluindo alferes-alunos) e um cuja patente não foi possível identificar. Em percentuais, a preponderância dos alunos e alferes-alunos é grande: 69,4%, contra 21,4% de tenentes, 7,5% de capitães e apenas 1,2% de oficiais superiores. Somados os oficiais inferiores — tenentes e capitães — aos alferes-alunos e alunos, a maioria resultante de militares em início de carreira é esmagadora.

---

7. São seis "pactos": dos "alunos da Escola Militar"; dos "oficiais e praças-de-pré aquartelados na Praia Vermelha"; dos "alunos da Escola Superior de Guerra"; dos "oficiais dos corpos da Guarnição Federal"; dos "oficiais do 2º Regimento de Artilharia de Campanha"; e de "diversos oficiais". Os textos completos, incluindo as assinaturas, saíram publicados em vários livros (p. ex., Mendes, 1913, II:211-4).

Examinando as unidades a que esses militares pertenciam, temos 55 da Escola Militar da Praia Vermelha, 56 da Escola Superior de Guerra (um desdobramento da anterior, criada em 1889) e 48 da 2ª Brigada do Exército (incluindo 20 do 1º Regimento de Cavalaria, 9 do 9º Regimento de Cavalaria e 19 do 2º Regimento de Artilharia de Campanha, todos em São Cristóvão), além de 14 não especificados. As duas escolas de formação de oficiais respondem, dessa forma, por aproximadamente dois terços do total, e a 2ª Brigada, com quase todos os oficiais formados por estas escolas superiores, pelo terço restante. É importante observar ainda que não há, nos "pactos", identificação de oficiais pertencentes aos vários batalhões de infantaria sediados na Corte.

Informações complementares indicam que, dentro dessas unidades, a adesão era maciça, e não parcial. Comparando-se a lista dos matriculados na ESG em 1889 (Araripe, 1960:96-7) com a do "pacto de sangue", vemos que, dos 59 alunos, apenas três não assinaram. No 2º RAC, só não assinaram os dois oficiais superiores (Castro, A., 1922:245). Percebemos, portanto, que a quase totalidade dos signatários é composta de militares que ainda estudam nas duas escolas superiores de formação de oficiais do Exército e oficiais subalternos ou inferiores — recém-egressos dessas escolas militares.

Ainda é possível extrair outras informações a partir da lista de assinantes dos "pactos de sangue". Durante a pesquisa, tentei estabelecer notas biográficas mínimas — como ano e local de nascimento — para essas pessoas. Na falta do arquivo da Escola, a solução foi recorrer a outras fontes, em especial a dicionários biográficos. Os resultados ficaram aquém do que desejava; mesmo assim, permitem algumas generalizações.

Tomemos inicialmente os 56 alferes-alunos do "pacto" da Escola Superior de Guerra. Eles estão a meio caminho entre os alunos da Escola Militar e os tenentes em início de carreira. Além disso, representam, sozinhos, cerca de um terço do conjunto de assinantes dos "pactos". Consegui determinar os estados de onde vieram 30 deles: 20 (66,7%) nasceram em estados do "Norte" (atuais regiões Norte, Nordeste e Centro-Oeste) e 10 (33,3%) do "Sul" (o restante do país). Entre os estados mais representados, temos o Rio Grande do Sul e o Maranhão com 5 cada (16,7%), Rio de Janeiro, Bahia e Sergipe com 3 cada (10%). Tais percentuais são parecidos com os encontrados por Schulz (1994:214-5) numa amostra aleatória de 146 alunos da Escola Militar nos últimos quarenta anos do

Império: 73,3% nasceram em estados do "Norte" e 26,7% em estados do "Sul". O estado mais representado foi o Rio Grande do Sul (15,8%), seguindo-se vários estados do Nordeste. Da Corte ou do estado do Rio vieram apenas 3,4%.

Essas amostragens são pequenas, mas expõem características importantes da Escola Militar. Em primeiro lugar, é marcante a predominância de pessoas do "Norte" — região menos desenvolvida do país —, excetuando-se uma representação significativa (talvez entre 15% e 20%) de alunos naturais do Rio Grande do Sul. Em segundo lugar, ao contrário das escolas superiores civis do Império, ela é um pólo de atração *nacional*, e não regional. Dados para 1854 indicam que 88,12% dos estudantes em Olinda-Recife e 92,08% na Bahia vinham de estados do "Norte"; 93,18% dos estudantes em São Paulo e 84,46% no Rio vinham do "Sul" (Carvalho, J., 1980:67, quadro 8). O fato de a Escola Militar da Praia Vermelha atrair pessoas de todos os estados é sempre mencionado nos livros de memórias de militares da época e se tornará elemento simbólico importante até hoje para a afirmação do caráter *nacional* do corpo de oficiais do Exército. Outras dimensões desse fato serão examinadas mais tarde, quando focalizarmos a experiência pessoal da viagem para a Corte e o deslocamento cultural — mais que espacial — que ela envolvia.

Ainda em relação aos 56 assinantes do "pacto" da ESG, consegui estabelecer a idade de 19. No golpe, eles tinham entre 20 e 27 anos, com uma média de 24 anos. O aluno ideal-típico desse grupo nasceu em 1865, ingressou na Escola Militar da Praia Vermelha no início da década de 1880 e conquistou o título de alferes-aluno a partir de 1885. Os que em 15 de novembro já eram segundos-tenentes haviam sido promovidos em 1888 ou 1889.

O exame da idade e das promoções de 6 dos 10 primeiros-tenentes confirma o padrão estabelecido para o grupo da ESG. No golpe, eles tinham entre 27 e 34 anos, com uma média de 30 anos. Todos cursaram a Escola Militar em algum período entre 1874 e 1885, não havendo "tarimbeiros" no grupo. Chegaram ao posto de primeiro-tenente em 1888 ou 1889.

O resultado do exame dos "pactos de sangue" enviados a Benjamin Constant é claro. O membro típico da "mocidade militar" era oriundo do "Norte", tinha menos de 30 anos ao ser proclamada a República e estudou na Escola Militar da Praia Vermelha no período posterior a 1874, quando a Escola foi reaberta após ter estado fechada durante a Guerra do Paraguai. Muitos ainda eram alunos; se já fossem tenentes, teriam sido promovidos pouco antes. A etnografia da vida na Escola Militar, de que nos ocuparemos a seguir, é, portanto, absolutamente fundamental para o exame da socialização profissional e do universo cultural da "mocidade militar".

2
A Escola Militar da Praia Vermelha

No dia 14 de outubro de 1879, José Bevilacqua, um jovem de 16 anos, desembarcava pela primeira vez na cidade do Rio de Janeiro. Nascera numa pequena cidade da província do Ceará, e seus pais eram de origem modesta: a mãe, professora primária; o pai, ora encarregado de obras públicas, trabalhando como mestre-de-obras, ora desempregado. José Bevilacqua passara os últimos anos interno num seminário religioso em Belém do Pará, onde fizera os estudos secundários. Pouco antes de viajar para o Rio, sentara praça no Exército, pré-requisito para o ingresso na Escola Militar da Praia Vermelha, sua única possibilidade de seguir um curso superior, já que a família não tinha como pagar os estudos.

Através das cartas que escreveu aos pais, podemos saber de suas primeiras impressões na Corte. Em visita à Escola Militar, achou tudo "muito bonito e admirável", a comida muito boa em comparação com a do seminário, e ficou impressionado com um quadro do pintor Pedro Américo sobre a Guerra do Paraguai — o quadro era maior que a sala de sua casa. A cidade o deslumbrou ainda mais. Contou do bonde que tomara para ir a Botafogo; de um "drama gigantesco" que assistira no teatro de S. Pedro de Alcântara em companhia de um tio; e de uma "invenção maravilhosa" que conhecera ao passear pela rua do Ouvidor, coração da cidade: o fonógrafo, uma "máquina que fala". Ele sintetiza assim o novo mundo que descobria: "O Rio de Janeiro é o Brasil e a rua do Ouvidor é o Rio de Janeiro. Tudo aqui é muito bonito."

Vimos que a grande maioria dos estudantes militares vinha das províncias, principalmente do Norte. Para eles, chegar à Corte pela primeira vez implicava um deslocamento *cultural*, mais que espacial. Entre outras coisas, significava experimentar um tempo social distinto do da província: mais "moderno", "adiantado" e "veloz", a fazer contraste com um tempo mais "lento" e "atrasado", quase ainda colonial. A preferência é clara: para José Bevilacqua, o Brasil passa a ter no Rio de Janeiro — ou melhor, na rua do Ouvidor — seu espelho, e a estar mais próximo da Europa que dos sertões.

Outra grande mudança ocorria quando do ingresso na Escola Militar da Praia Vermelha.[1] Afastado da família e de sua terra natal, o grupo de referência básico do novo aluno passava a ser os outros alunos. Era através de uma intensa convivência cotidiana com seus pares no "Tabernáculo da Ciência" — expressão pela qual os alunos se referiam informalmente à Escola, deixando desde logo evidente a alta estima em que era tido o estudo das ciências — que ele se tornava parte da "mocidade militar".

O início, no entanto, era difícil. Para se tornar um aluno pleno, o novato precisava passar por um rito de passagem. No começo, enfatizava-se a separação do mundo no qual o indivíduo vivia antes de ingressar na Escola Militar: suas roupas civis eram trocadas por um uniforme, sendo-lhe atribuídos um nome-de-guerra e um número. Com o ingresso na Escola Militar, ele passava também a viver em regime de internato, com horários de saída previstos e alojamentos e refeições compartilhados.

A fase crítica era a dos trotes, quando o novato era colocado numa posição de liminaridade, vivendo simbolicamente nas margens da vida social — daí o termo "bicho", pelo qual era chamado. No "período bichal", cerca de três meses, o novo aluno era sistematicamente submetido a situações humilhantes, com as quais deveria resignar-se. O trote era aplicado por alunos veteranos, e não parece ter sido coibido pelos oficiais — que, por sua vez, também já haviam sido, algum dia, "bichos".

---

1. A descrição que se segue da vida na Escola Militar da Praia Vermelha durante os 15 anos finais do Império (1874-1889) baseia-se principalmente em textos autobiográficos de ex-alunos — Bomilcar (1941), Carvalho, S. (1950), Coelho, T. (1935), Leal (1939), Lopes (1961), Monteiro, A. (1921), Moraes, L. (1961), Moura (1936), Oliveira (1921), Severo (1939) e Viana (1961) — e em trabalhos biográficos e historiográficos — Araripe (1960), Peregrino (1945;1967) e Viveiros (1958). Outras fontes, como documentos de arquivo, serão mencionadas quando utilizadas.

Lobo Viana (1961:73-7) descreve a primeira "assembléia bichal" por que passou uma turma de novatos, reuniões que se repetiriam todas as semanas. À noite, grupos de veteranos percorreram aos gritos os corredores e alojamentos, tangendo os "bichos" para a assembléia. Estes tiveram de assistir à "sessão", realizada num salão lotado de veteranos e parcamente iluminado, entre pilhérias e pequenas agressões físicas. O veterano que presidia a assembléia afirmou que aquela sessão inaugural visava apenas à leitura do "Código dos bichos", "para que esses animais, essa cáfila de imundos, que anualmente invadem o sagrado 'Tabernáculo da Ciência,' saibam quais os seus deveres para com os seus augustos senhores veteranos, seus naturais e legítimos superiores hierárquicos, e conheçam seus hipotéticos direitos ante a egrégia comunidade".

O artigo primeiro do tal código estabelecia que "todo bicho tem direito a não ter direito a coisa alguma". Outros artigos dão exemplos do que os "bichos" enfrentavam no dia-a-dia:

> — Bicho, animal, imundo, são expressões sinônimas.
> — O bicho não pensa, não raciocina, age por instinto; não vive, vegeta. É burro por índole.
> — O bicho só tem deveres a cumprir, para com seus ilustres veteranos: a) conservar-se de pé quando lhes dirigir a palavra; b) engraxar-lhes as botinas quando sujas; c) encher-lhes as moringas quando vazias, indo buscar água onde a encontrar; d) encarregar-se das "bodegas", preparando o café; e) ceder-lhes o lugar nos bondes, pagando-lhes imediatamente a passagem; f) comunicar-lhes sem demora o recebimento de presentes, doces, frutas, comezainas que receba da casa paterna etc.

Algumas vezes os trotes envolviam pequenas agressões físicas — como os piparotes, os cascudos e as "ventosas" de que fala Lobo Viana (1961:63) — ou a apropriação, pelos veteranos, de objetos pertencentes aos "bichos". No entanto, os ex-alunos geralmente enfatizam o fato de que o trote não envolvia nenhuma ofensa pessoal: o indivíduo sofria não por ser fulano de tal, mas por estar na condição de "bicho". O trote era considerado, assim, uma "instituição democrática", que a todos nivelava, sem considerar atributos de distinção social da vida dos novatos antes do ingresso na Escola. Todos eram inicialmente considerados impuros — "bichos" — e, através dos trotes, provariam ser dignos de ingressar no "Tabernáculo da Ciência". Além disso, não se deve esquecer que todo "bicho" poderia potencialmente tornar-se, alguns anos mais tarde, um veterano trotista.

O trote possibilitava ainda a aproximação com os alunos veteranos, principais responsáveis pela socialização dos novos no ambiente cultural predominante no "Tabernáculo" e pelo controle informal da vida cotidiana na Escola. Os novatos que não aceitassem os trotes corriam o risco de se tornarem "bichos crônicos", ficando assim alijados da condição de membros do "Tabernáculo" mesmo após o "período bichal". A "cronificação" podia ser aplicada mesmo a alunos que já tivessem superado a fase de "bichos", bastando que praticassem algum ato condenado pelos companheiros. Neste caso, o "bicho crônico" era lançado ao desprezo e compelido a pedir desligamento. O controle social exercido pelos alunos dos anos mais adiantados é exemplificado também pelas "cavatinas", cantigas espirituosas e críticas que um grupo de alunos entoava nos sábados à noite e que se destinavam a punir, pela censura ou pelo ridículo, as pequenas faltas cometidas.

Superada com sucesso a fase de trotes, o "bicho" deixava a situação de liminaridade em que estivera colocado, encerrando-se o rito de passagem do ingresso na Escola com sua agregação ao conjunto dos alunos. O trote pode ser visto em parte como um instrumento "civilizatório" dos "bichos", por obrigar-lhes a aceitar incondicionalmente os valores que reinam na comunidade de alunos, preparando-os para a nova identidade social que viriam a assumir. Por outro lado, ele era importante também para os veteranos. A ação destes só é possível porque se reconhecem como grupo, cuja unidade estaria em risco com a entrada dos novatos. O elemento sociologicamente positivo do trote seria, para os veteranos — através da oposição aos "bichos" e da vitória cultural que sobre eles obtêm —, demonstrar a unidade do grupo e demarcar as fronteiras simbólicas que definem o que é ser integrante do "Tabernáculo da Ciência".

Na Praia Vermelha havia uma marcante concentração de interações dentro do próprio grupo de alunos, com a existência de vários grêmios e sociedades criados e mantidos por eles. A existência de uma associação de assistência mútua que anonimamente distribuía dinheiro a colegas pobres é sempre destacada pelos ex-alunos em suas memórias como exemplo da união e do companheirismo reinantes na Escola.

Os momentos de lazer também eram compartilhados entre os alunos. A Escola, ressalte-se, estava em local de enorme beleza natural e, em certa medida, isolado. Ao contrário do que acontece hoje, a Praia Vermelha não era, na época, tão próxima e tão acessível.

Os bondes vindos da rua do Ouvidor, puxados a burro, faziam seu ponto final em frente à rua da Passagem, em Botafogo. Para prosseguir até a Praia Vermelha, havia transporte por água, em escaleres a remo, restritos aos professores e oficiais. Os alunos iam a pé, por um longo caminho rústico que beirava a Praia da Saudade — hoje o Iate Clube. Para muitos alunos que vinham das províncias e não tinham familiares ou conhecidos na cidade, a vida ficava em grande parte restrita à Praia Vermelha e a Botafogo — eram os chamados "laranjeiras", firmemente plantados, como essas árvores, no terreno da Escola.

Dentre as atividades de lazer, destacavam-se excursões em grupo aos morros da Urca e da Babilônia, que emolduravam a Escola, e escaladas do Pão de Açúcar. Nesses morros, os alunos tinham grutas onde se reuniam para piqueniques em estilo troglodita. Também eram comuns passeios a cavalo até a então deserta praia de Copacabana, onde se apanhavam cajus e outras frutas, pescarias e passeios de barco, alguns construídos de improviso por eles próprios. Os alunos também organizavam idas a teatros e serenatas no bairro vizinho de Botafogo; às vezes, no cemitério de São João Batista, junto aos túmulos de brasileiros notáveis. Nas tardes de sábado, tinha lugar o "caroço", espécie de baile improvisado no qual os alunos dançavam entre si, aos pares. Havia também na Praia Vermelha toda uma gíria escolar característica, tendo lá origem, segundo os ex-alunos, algumas palavras e expressões depois generalizadas, como "bilontra".

As indisciplinas também eram geralmente praticadas em conjunto. Em 1875, por exemplo, dois alunos exigiram que lhes fosse servido café da manhã mesmo depois de passado o horário previsto. Sendo repreendidos, desacataram ordens superiores e foram presos. Em represália, 85 alunos deixaram a Escola dizendo que iam à cidade tomar café.[2]

Mercê dessas e de outras atividades, os ex-alunos sempre destacam em suas memórias a "proverbial união" no interior da Escola Militar, seu *espírito-de-corpo*. Nas palavras de um ex-aluno:

> A força de coesão agia soberanamente, movimentando aquela coletividade como se fosse um único ser, indivisível. A estrutura homogênea desse corpo coletivo e a harmonia de pensamento dos seus órgãos individuais não fora obra de um mentor, de um

---

2. Arquivo Nacional, caixa IG^3 3, Ministério da Guerra, Escola Militar.

> guia, que exercesse tutelar supremacia sobre os alunos. Estes, quando a Escola se devia pronunciar sobre qualquer caso, se reuniam e deliberavam livremente, após discussões calorosas e votações descobertas (Moura, 1936:43-4).

Espírito-de-corpo é aqui entendido, num sentido inspirado em Bourdieu (1989), como a integração e a solidariedade oriundas do "encantamento afetivo" que nasce de poder admirar a si mesmo em seus pares e do sentimento de solidariedade que repousa sobre a comunidade de esquemas de percepção, de apreciação, de pensamento e de ação. É óbvio que nenhuma coletividade é perfeitamente harmoniosa e uniforme, e a Escola Militar da Praia Vermelha não fugia a essa regra. Parece claro, no entanto, que, para os alunos, após a socialização na vida escolar, o principal círculo social passava a ser o conjunto dos alunos. É notável, em suas lembranças, a palidez da imagem que guardam de professores e comandantes, em contraste com a vívida lembrança da interação com colegas. Afastados de suas famílias por muitos anos e desde cedo, tinham no grupo de pares o grupo fundamental.[3]

As interações com colegas nos trotes, nos momentos de lazer, nos alojamentos e nas associações contribuíam em grande parte para a construção da identidade social dos jovens "científicos" da Praia Vermelha como um grupo específico. Estes elementos não eram, no entanto, os únicos. A importância dada ao mérito pessoal e a mentalidade "cientificista" predominante na cultura escolar eram dois outros poderosos elementos de coesão social. Se juntarmos a isso a atuação política dos alunos nos anos finais do Império, teremos a "mocidade militar".

---

3. Em determinadas situações, essa lealdade "horizontal" prevalecia mesmo sobre laços de parentesco. Um caso extremo foi o do aluno José Antônio da Fonseca Galvão, filho do barão do Rio Apa, comandante da Guarda Nacional, durante os preparativos para o golpe de 1889. Notando que seus companheiros o evitavam, protestou: "Não se arredem de mim; não se segue que, por meu pai pensar de um modo, eu o acompanhe. Sou republicano e penso como vocês." No dia 15 de novembro, quando a Escola marchava contra o governo — e contra seu pai, que o defendia —, foi aconselhado a não seguir, mas protestou dizendo que "vinha com seus companheiros e com eles iria até o fim" (cf. BC, REP/mg 8900105, doc. 5).

Como mencionado no capítulo anterior, o desenvolvimento de valores meritocráticos nos Exércitos profissionais modernos e, especificamente, nas academias militares foi um fenômeno histórico praticamente universal. Para Huntington (1957), se fosse preciso encontrar uma data precisa para o surgimento da *profissão* militar, teríamos 6 de agosto de 1808, quando o governo prussiano baixou decreto dizendo que:

> O único requisito para uma patente de oficial deve ser, em tempo de paz, educação e conhecimento profissional. Da nação inteira, portanto, todos os indivíduos que possuam essas qualidades são elegíveis para os mais elevados postos militares. Todo privilégio de classe previamente existente no estabelecimento militar está abolido, e todo homem, sem consideração à sua origem, possui deveres e direitos iguais (cf. Huntington, 1957:30-1).

Idealmente, o poder baseado no parentesco ou na riqueza passava a subordinar-se ao mérito dos indivíduos, decorrente principalmente de aptidões intelectuais confirmadas no sistema escolar. Na nova elite social que assim deveria surgir, as posições sociais deixariam de ser *atribuídas* por privilégio de nascimento, passando a ser *adquiridas* graças à capacidade individual. A sociedade meritocrática seria aquela onde vigoraria plenamente esse princípio.

É claro que há uma enorme distância entre a afirmação ideológica do princípio do mérito e seu funcionamento efetivo. Mesmo nos países europeus mais "adiantados", um regime político onde o mérito fosse considerado valor fundamental para o acesso às funções públicas e especialmente aos mais altos postos custou a surgir — talvez a Terceira República francesa seja o primeiro exemplo histórico de peso. Mesmo neste caso, parece ter acontecido mais um alargamento das elites do que sua efetiva democratização (Charle, 1987).

A afirmação do mérito individual como valor só pode ser adequadamente compreendida no contexto mais amplo do processo histórico e cultural que levou ao desenvolvimento do *individualismo* nas sociedades modernas ocidentais e que passou a ocupar o centro da arena política após a Revolução Francesa: a afirmação do valor atribuído à singularidade do indivíduo, considerado independentemente dos grupos a que pertence. É importante apontar o papel da própria instituição militar na gênese do individualismo moderno. Para tanto, são pertinentes algumas indicações presentes — embora, infelizmente, não desenvolvidas — nos textos de Foucault sobre o surgimento do *poder disciplinar*, cuja referência básica é *Vigiar e punir* (Foucault, 1987).

Mecanismos disciplinares existiram em todas as sociedades; entretanto, para Foucault, a especificidade do poder disciplinar surgido na época clássica está em que ele se exerça da forma mais anônima possível, ao mesmo tempo em que deva ser sofrido individualmente. Uma das teses centrais de Foucault: esse tipo de poder é *produtor de individualidade*. A disciplina faz emergir, distintos, no seio de uma massa, uma multiplicidade de indivíduos.

Qual o lugar ocupado pela instituição militar nesse processo? Em primeiro lugar, a disciplina da caserna não deve de forma alguma ser isolada historicamente da disciplina nas prisões, nas escolas, nos hospitais. Mais que isso, ela ocupou um lugar estratégico para a gênese de todo poder disciplinar. Por exemplo, ao pesquisar sobre como a necessidade de se ter uma visibilidade total dos indivíduos foi resolvida na arquitetura das "instituições totais", Foucault deparou-se com o modelo do *panopticon*, inspirado na Escola Militar de Paris. Foi nos dormitórios dessa instituição que, a partir de 1751, funcionou um dos primeiros modelos dessa "visibilidade" isolante — um controle inscrito na própria arquitetura (Foucault, 1989:210-1). Nos grandes Estados europeus, o Exército era não apenas uma força armada que garantia a paz civil, mas também "uma técnica e um saber que podem projetar seu esquema sobre o corpo social. (...) O sonho de uma sociedade perfeita é facilmente atribuído pelos historiadores aos filósofos e juristas do século XVIII; mas há também um sonho militar da sociedade" (1987:151-2).

As noções de *racionalização* e *burocratização*, enquanto processos históricos, presentes na obra de Max Weber — embora desenvolvidas numa perspectiva completamente diferente —, podem ser aproximadas da análise de Foucault. Para Weber, um dos resultados mais importantes da disciplina foi a transformação racional da estrutura estamental; seu ramo mais racional, a burocracia, seria intrinsecamente alheio ao carisma e a todas as honras sociais. Ao considerar as raízes históricas da disciplina burocrática, Weber remeteu diretamente ao modelo da disciplina militar: "A disciplina do exército deu origem a toda a disciplina. (...) Nenhuma prova especial é necessária para mostrar que a disciplina militar é o modelo ideal para a moderna fábrica capitalista (...)" (1979:301).

O objetivo dessa digressão é apenas enfatizar a importância que a instituição militar teve no desenvolvimento do individualismo moderno — processo histórico que tem na afirmação de valores meritocráticos um desenvolvimento lógico. Ao invés de sofrer passivamente a influência dessas tendências, a instituição militar foi um elemento dinâmico desse processo. Os novos corpos de oficiais formados nas escolas militares se diferenciaram em muitos aspectos das sociedades de que faziam parte, parecendo "ilhas de modernidade" em meio a um oceano de valores tradicionais. Nas ocasiões em que oficiais de novo estilo dominaram o poder político, estes assumiram, muitas vezes, o papel social de vanguardas "modernizadoras" — considerando-se, aqui, como "moderno" a afirmação de valores e a implementação de práticas vinculados ao individualismo, à disciplina, à racionalidade, à organização burocrática e ao mérito.

Nas sociedades não-européias, a atuação de jovens oficiais educados em escolas militares como elementos "modernizadores" foi ainda mais importante. A Rússia de Pedro o Grande (1682-1725) e seus sucessores, o Império Otomano (1750-1914), o exército egípcio de Muhammad Ali e os que a ele se seguiram (1805-1849), a China da segunda metade do século XIX e as Forças Armadas do Japão após a Restauração Meiji (1868) — todos sofreram profundas alterações quando reformaram suas Forças Armadas conforme as práticas européias correntes. A "modernização" desses países, que teve como primeiro (e irreversível) passo a introdução de técnicas e procedimentos militares europeus, não foi a intenção original de seus promotores, que em princípio desejavam apenas melhorar o estado de suas Forças Armadas. Porém, cedo ou tarde, tal introdução obrigou a adoção de medidas internas que teriam efeitos profundos. A "europeização" das Forças Armadas constituiu o principal canal de transmissão da civilização européia nessas sociedades (Ralston, 1990).

Apesar de as conseqüências variarem de país para país, algumas similaridades podem ser encontradas: o aumento de poder das autoridades governantes, a oposição aos militares tradicionais (janízaros no Império Otomano, samurais no Japão etc.), a criação de um sistema de administração pública burocratizado, a introdução de alguma forma de conscrição e o estabelecimento de escolas para a educação profissional de oficiais que deviam comandar as unidades militares de novo estilo. As escolas militares superiores foram sempre as primeiras e mais importantes instituições a disseminar práticas e valores "modernos" em seus países. Abriram-se, assim, nessas sociedades, novos canais de mobilidade social para indivíduos não pertencentes à elite tradicional. Os conflitos daí resultantes foram sempre dramáticos.

No Brasil, a Escola Militar também foi a principal instituição a desenvolver características "modernas" no seio de uma sociedade predominantemente tradicional — rural, patriarcal e hierarquizada —, e que assim permaneceria até bem depois de instituída a República. Dentre essas características, duas se destacam: a supervalorização do princípio do mérito e a predominância, entre os alunos, de uma mentalidade "cientificista". Eram esses dois elementos que, como já apontei, constituíam a base da identidade social da "mocidade militar".

A criação da Real Academia Militar em 1810 insere-se em dois contextos históricos: um, mundial, de criação de escolas militares na França, Prússia, nos Estados Unidos e outros países; outro, de criação de estabelecimentos de ensino superior no Brasil, como a Real Academia dos Guardas-Marinhas (1808), as escolas de medicina do Rio de Janeiro e de Salvador (1813 e 1815), a Academia de Belas-Artes (1820) e os cursos de direito de São Paulo e Olinda (1827).[4]

A Academia Militar, durante muito tempo a única escola de engenharia do Império, formava também, além de oficiais do Exército, engenheiros civis. Em relação aos estudos propriamente militares, o predomínio, no currículo, das armas "científicas" sempre foi claro. A infantaria e cavalaria requeriam menos anos de estudos e correspondiam aos anos iniciais do curso das armas "científicas". As armas não eram portanto vistas como linhas específicas de ensino, e sim como níveis ou graus diferentes de estudos militares: elementar para infantes e cavalarianos, superior para artilheiros e engenheiros. A primazia dos estudos "científicos" fortaleceu-se com a criação, em 1840, do título de "alferes-aluno", recebido pelos alunos aprovados plenamente ao final dos anos iniciais do curso (infantes e cavalarianos, portanto, não seriam alferes-alunos) representando, além do prêmio pela performance escolar, um aumento substancial nos

---

4. A Academia Militar funcionou, entre 1812 e 1874, no prédio atualmente ocupado pelo Instituto de Filosofia e Ciências Sociais da UFRJ, no Largo de São Francisco. Para a história da Academia Militar, ver Mota (1976) e Castro, C. (1990, cap. 3).

vencimentos. O estímulo ao desempenho escolar aumentou mais ainda com a introdução, em 1844, do título de "bacharel em matemáticas e ciências físicas" para os alunos que fizessem o curso completo.

Na década de 1850, o ensino militar entrou em fase de ampliação e profissionalização. Em 1851, foi criado um curso de infantaria e cavalaria no Rio Grande do Sul, composto das mesmas matérias previstas para os alunos dessas armas no curso da Academia Militar. Data dessa época também a criação de cursos preparatórios ao ingresso na Academia. A par da ampliação do ensino militar, procurou-se valorizar seu conteúdo profissional. Em 1851, o ministro da Guerra Manuel Felizardo de Sousa e Melo discursou na Câmara pedindo para a Academia Militar um regime de internato, de quartel, afirmando ter ela "todos os elementos para formar sábios; poucos, porém, para formar oficiais" (cf. Mota, 1976:128). O resultado prático dessas iniciativas foi o desdobramento da Academia Militar em duas: uma Escola Militar e de Aplicação, instalada em 1855 na Fortaleza de São João e, após 1857, na Praia Vermelha, já com o nome de Escola Militar; e a Escola Central, no Largo de São Francisco. Na Praia Vermelha ficariam os cursos práticos; no Largo de São Francisco, os estudos teóricos.

A Escola Militar da Praia Vermelha esteve fechada durante a Guerra do Paraguai. Em 1874, a Escola Central foi transferida para o Ministério do Império com o nome de Escola Politécnica, destinada a formar apenas engenheiros civis. Nesse mesmo ano, a Escola Militar da Praia Vermelha foi reaberta, monopolizando todos os estudos militares superiores, inclusive os de engenharia militar. Ali é que se formaria, nos 15 anos seguintes, a "mocidade militar". Embora a formação escolar no período 1874-1889 mantivesse semelhanças com a que vigorou até 1864, as diferenças seriam marcantes. Nesse ínterim, não apenas as medidas profissionalizantes iniciadas no Exército na década de 1850 começaram a se fazer sentir, como, principalmente, irromperam no universo intelectual brasileiro doutrinas "cientificistas" como o positivismo e o evolucionismo, e movimentos sociais e políticos como o abolicionismo e o republicanismo. Entre um período e outro, os relógios passaram a andar muito mais depressa, como observou Machado de Assis: "Mas então que é o tempo? É a brisa fresca e preguiçosa de outros anos, ou este tufão impetuoso que parece apostar com a eletricidade? Não há dúvida que os relógios, depois da morte de López, andam muito mais depressa" (1994:36).

Vimos no capítulo anterior que o Exército no final do século XIX tornara-se uma carreira aberta ao talento, e que um passo fundamental nesse sentido foi a reforma na lei de promoções realizada em 1850, com suas exigências de merecimento para a progressão na carreira. Esses mecanismos burocráticos, já adotados por diversos exércitos ocidentais, podem ser considerados um marco fundamental do processo de diferenciação da oficialidade "científica" do Exército em relação à elite civil e, dentro do Exército, aos "tarimbeiros".

A introdução dessas mudanças não se deu sem que se manifestassem descontentamentos no Exército. Exemplo disso são dois discursos proferidos em 1859 na Câmara dos Deputados. Um deputado que era oficial do Exército afirmou que: "No Rio Grande do Sul existem muitos oficiais, jovens ainda, que prestam relevantíssimos serviços à causa da ordem, e que vão ser preteridos por meninos que só têm a seu favor o fato de haverem estudado dois anos na Escola Militar, e que sabem tanto o que é ser oficial como eu sei o grego!" Outro deputado mencionou o "desgosto que lavra entre os oficiais do Exército, proveniente de que aqueles que servem realmente ao país, dormindo em barracas, envolvidos em seus capotes, comendo da rude ração dos soldados, muitas vezes são preteridos por moços que fazem um pequeno curso acadêmico, que dá direito a muita coisa, mas que não dá direito, por certo, a preterir os que arriscam suas vidas nos lugares perigosos" (cf. Mota, 1976:120-1).

Entretanto, ao contrário do que essas afirmações sugerem, os oficiais das "armas científicas" não se tornaram profissionalmente privilegiados. Muito pelo contrário. A valorização da performance acadêmica não acarretou, por exemplo, uma ampliação significativa de unidades e vagas para comandos. Com isso, muitos oficiais "científicos" tiveram de passar longos períodos em funções burocráticas ou então de dedicar-se ao magistério. Havia, portanto, uma enorme distância entre a afirmação, no curso da Escola Militar, da superioridade do mérito e dos estudos "científicos", e sua efetivação na realidade de um Exército predominantemente "tarimbeiro" e que custava a se modernizar.

Os depoimentos de ex-alunos da Escola Militar da Praia Vermelha permitem que se veja de forma inequívoca o valor excepcional que atribuíam ao princípio do mérito. Isso não significa que este princípio funcionasse na Escola de forma plena, nem que por vezes não fossem acionados valores opostos aos meritocráticos. No arquivo de Benjamin Constant há cartas pedindo "proteção" para alunos, uma assinada por ninguém menos que o duque de Caxias, pedindo "benevolências" para um parente nos exames. Uma carta de José Bevilacqua comunica aos pais que, embora receasse perder o ano por causa de uma doença, já tinha "a promessa do secretário da Escola de arranjar-me um cambalacho caso sobrevenha alguma circunstância imprevista".[5] Apesar desses exemplos, a *imagem* que alunos, professores e outros militares normalmente tinham da Escola era a de um reino onde o mérito individual era soberano, bastando apenas um bom desempenho acadêmico para uma ascensão na carreira. A mãe de José Bevilacqua certa vez pediu a um conhecido que recomendasse seu filho ao conterrâneo general Tibúrcio. Este respondeu que lembrassem ao aluno que não deixasse de "estudar com valor e coragem, que assim já estará recomendado por si" (cartas de 1/8/1881 e 6/2/1882).

O princípio do mérito não tinha uma existência apenas ideal; materializava-se no título de "alferes-aluno", exclusivo dos alunos da Escola Militar que se destacassem nos anos iniciais do curso. Uma carta de José Bevilacqua (19/11/1884) informa a seus pais com toda a solenidade seu sucesso nos estudos, comunicando que, por isso, estará habilitado a ser nomeado, em breve, alferes-aluno:

> Este posto, que corresponde em tudo ao primeiro posto, isto é, a alferes de uma das armas, é um *prêmio* que se dá aos estudantes que são aprovados *plenamente* nas matérias de dois anos do Curso Superior; eles têm as mesmas vantagens que os alferes chamados "de patente", e saem depois de certo tempo *confirmados* para uma das três armas, porém contando antigüidade da data em que saíram alferes-alunos; têm fardamento especial etc. etc.; é enfim uma promoção muito considerada no Exército, visto ser por lei e por estudos, independentemente da vontade do ministro, que no outro caso promove aos protegidos..

5. BC, Esc.Mil./alunos 8741030, carta de 30/10/1874 e JB, carta de 9/7/1884.

Em nova carta (19/1/1885), José Bevilacqua, "possuído da mais viva satisfação", participa aos pais que sua promoção a alferes-aluno fora afinal publicada, "depois de uma demora injustificável de 17 dias". É importante assinalar a revolta com a "demora injustificável" de apenas 17 dias na promoção, porque essa seria a penúltima promoção a alferes-aluno a ocorrer até o início de 1889. Se um atraso de 17 dias era considerado injustificável, imagine-se três turmas tendo seu direito à promoção ignorado durante *anos* pelo governo! Esse fato será, como veremos, motivo para iniciativas pessoais e coletivas de revolta. Deve-se lembrar, também, que a maioria dos assinantes dos "pactos de sangue" a Benjamin Constant era de alferes-alunos ou jovens oficiais que haviam sido alferes-alunos há poucos anos.

Havia nessa promoção um componente material importante: o pequeno soldo, de pouco mais de 3$000 recebidos nos anos iniciais do curso, passava a ser de 70$000, chegando a atingir 120$000 no último ano. Para a maioria dos jovens que não eram ricos, isso significava a conquista da independência financeira em relação à família por volta dos 20 anos; para alguns, significava mesmo a possibilidade de auxiliarem suas famílias.

Inexistem na bibliografia sobre os militares no Brasil dados que permitam determinar com razoável grau de segurança a condição econômica das famílias dos alunos da Escola Militar no final do Império. Como vimos no capítulo anterior, afirma-se, em geral, que eles eram oriundos de uma "classe média" nascente e que não faziam parte da elite tradicional — embora o simples fato de serem letrados já os colocasse numa posição muito superior à da massa da população brasileira. Memórias de ex-alunos escritas no fim da vida não são, quanto a isso, fontes muito confiáveis. Por outro lado, as cartas trocadas entre José Bevilacqua e seus pais, entre 1880 e 1881, detalhando suas despesas e necessidades materiais durante o curso, são uma fonte muito mais interessante.

A vida na Corte é desde o começo difícil para José Bevilacqua, pois "tudo é caríssimo". Logo na primeira semana na Escola Militar, está convencido de que "é impossível passar sem mesada". Se o curso não é pago e a Escola dá alojamento, comida e parte dos uniformes, por outro lado ela "não dá calça nem colete preto, não dá botinas nem meias, não dá camisas nem ceroulas, não dá gravata nem roupa lavada, nem lenços, já deu objetos de escritório porém não dá mais, nem livros, de maneira que eu não posso comprar tudo isso com 3$000 que ganho".

Alguns alunos, durante os anos iniciais do curso, complementavam o soldo dando aulas particulares; alguns se transformavam em uma espécie de "camelô" (a expressão é de um ex-aluno), vendendo na Escola, para seus colegas, pequenas mercadorias (Lopes, 1961:38); outros, como José Bevilacqua, dependiam de pequenas quantias enviadas irregularmente e com muito custo pelos pais. Em alguns momentos, sua situação tornou-se dramática, como quando ficou sem botinas decentes para ir à cidade e o lavadeiro se recusou a devolver suas roupas enquanto não efetuasse os pagamentos atrasados. Sua mãe escreveu-lhe em resposta, conclamando-o a dedicar-se integralmente aos estudos para em breve poder ser-lhes útil; a se contentar com o que podiam mandar, a não estragar dinheiro e nem querer "imitar os moços ricos no luxo e despesas supérfluas", a se conformar "com o que Deus lhe deu e a seus pobres pais"; chega mesmo a criticar os passeios do filho pela cidade nos finais de semana, sob o argumento de que "as repetidas viagens a bonde, no fim do mês, perfazem uma soma crescida, e a pé gasta-se muito sapato, e para você tudo faz diferença".

O que essas cartas permitem afirmar com segurança é que, para ao menos parte dos alunos da Escola Militar, o aumento de vencimentos alcançado com a promoção a alferes-aluno fazia muita diferença. José Bevilacqua pôde, em primeiro lugar, dispensar a mesada dos pais. Anos mais tarde, sua mãe afirmou, a esse respeito, que muito teria padecido "se ainda te estivesse mandando aquela mesquinha mesada", e agradecia "à Divina Providência já não precisares mais deste pequeno adjutório" (carta de 2/5/1886). Além disso, podia ter uma vida mais confortável na metade final do curso, pensar em rever a terra natal nas férias e em presentear sua mãe com uma das maravilhas modernas: uma máquina de costura Singer.

Mas não eram, de forma alguma, considerações financeiras as únicas a tornar o título de alferes-aluno tão especial. Logo após a promoção, José Bevilacqua apressou-se em tirar um retrato uniformizado, ostentando as novas divisas de alferes-aluno, e em imprimir um cartão pessoal com o novo título, para participar a todos os parentes e amigos "este fato memorável de minha vida tanto militar quanto social". Na carta em que explicava aos pais o que era o título de alferes-aluno, está presente um dos motivos principais para o orgulho que sentia pela conquista: o fato de ter sido obtida por mérito individual, independentemente de favores e benevolências. Esse sentimento está *sempre* presente nas memórias de ex-alunos: "O mérito era o mérito, nada tendo que ver com a cor nem com os haveres, nem com a importância da família do aluno. Era um meio onde imperava a justiça, visceralmente democrático, portanto com a sua aristocracia de virtude e do saber, quadro aberto a quantos fossem dotados de capacidade e de querer" (Monteiro, 1921:420). Para Augusto Tasso Fragoso, que ingressou na Escola em 1885 e foi promovido a alferes-aluno em 1889, o título representava a ascensão por mérito próprio; por esse motivo, era "a maior aspiração e a maior glória do estudante militar daquela época" (cf. Araripe, 1960:135). Quando um aluno recebia o título, "lia-se na fisionomia o intenso júbilo pela vitória, alcançada unicamente pelo seu labor honesto e perseverante. (...) Não havia glória maior do que ascender sem pedir; do que chegar ao primeiro degrau elevado da hierarquia militar sem aviltamento de caráter nem preterição dos companheiros" (cf. Araripe, 1960:67).

A Escola Militar representou, no Império, uma rara possibilidade de ascensão social para pessoas que não pertenciam à elite tradicional e cujas famílias não podiam custear cursos superiores nas faculdades de direito ou medicina; a Escola Naval também era inviável, pelo caríssimo enxoval que o novo aluno precisava adquirir — um filtro social. Muitas vezes, encontramos nas memórias de ex-alunos o reconhecimento de que seguiram para a Escola Militar mais por necessidade que por vocação. O ingresso na carreira militar e a ascensão por mérito, concretizada no título de alferes-aluno, representava assim, muitas vezes, a única possibilidade de ascensão social aberta para esses jovens e um bem simbólico fundamental para a construção de sua identidade social.

O ingresso na Escola Militar não era muito difícil. Exigia-se dos candidatos mais de 16 e menos de 25 anos de idade, haver sentado praça no Exército, saber ler e escrever corretamente o português, saber efetuar as quatro operações sobre números inteiros e ser aprovado em inspeção de saúde. O pior vinha depois. O curso da Escola Militar era conhecido por sua dificuldade, especialmente devida ao forte ensino de matemática. Um ex-aluno lembra que, quando estava pensando em ir para a Praia Vermelha, foi conversar com um capitão de engenharia, que lhe falou do rigor dos estudos que encontraria na Escola, afirmando ser "quase impossível conquistar o título de engenheiro militar". Para corroborar o que disse, o oficial lhe mostrou, em seguida, um livro de cálculo transcendente (Moura, 1936:24).

O regulamento aprovado em 1874, quando a Escola reabriu após a Guerra do Paraguai, vigorou até o início de 1889. Foi, portanto, sob ele que se formou a "mocidade militar". As matérias do curso superior estavam assim distribuídas:

> *1º ano: 1ª cadeira:* álgebra superior, geometria analítica, cálculo diferencial e integral; *2ª cadeira:* física experimental, compreendendo elementos de telegrafia elétrica militar; química inorgânica; *aula:* desenho topográfico, topografia e reconhecimento do terreno.
> *2º ano: 1ª cadeira:* tática, estratégia, história militar, castrametação, fortificação passageira e permanente, compreendendo ataque e defesa dos entrincheiramentos e das praças de guerra, e noções elementares de balística; *2ª cadeira:* direito internacional aplicado às relações de guerra, noções de direito internacional e direito público, direito militar, análise da Constituição do Império; *aula:* geometria descritiva, planos cotados e sua aplicação ao desenfiamento das fortificações militares.
> *3º ano: 1ª cadeira:* mecânica racional e sua aplicação às máquinas, balística; *2ª cadeira:* tecnologia militar, compreendendo o desenvolvimento da telegrafia e iluminação elétrica da defesa das praças, noções de mineralogia, geologia e botânica, artilharia e minas militares; *aula:* desenho de fortificação e das máquinas de guerra.
> *4º ano: 1ª cadeira:* trigonometria esférica, ótica, astronomia, geodésia; *2ª cadeira:* administração militar, noções de economia política e de direito administrativo; *aula:* desenho geográfico, redução de cartas.
> *5º ano: 1ª cadeira:* construções civis e militares, hidráulica, estradas ordinárias e vias férreas, principalmente em relação à arte da guerra; *2ª cadeira:* química orgânica, mineralogia, geologia e botânica; *aula:* noções de arquitetura civil e militar, desenho de arquitetura, execução de projetos.

O currículo previa também matérias para o ensino prático, referentes a assuntos militares (ver Mota, 1976:195-200).

Dos cinco anos do curso superior, o curso de infantaria e cavalaria compreendia os dois primeiros anos; o curso de artilharia, até o 3º; o curso de estado-maior, até o 4º; e o curso de engenharia, todos os cinco anos. Como já foi observado, havia, inscrito na própria estrutura curricular, um estatuto de desigualdade entre as diferentes armas. Os infantes e cavalarianos não apenas estudavam menos anos que os membros das "armas científicas": o curso destas *incluía* os estudos de infantaria e cavalaria, inclusive no ensino prático. O fosso entre as armas "tarimbeiras" e as "científicas" foi ainda maior entre 1881 e 1887, quando os cursos de infantaria e cavalaria foram reduzidos a apenas um ano, pois o comandante da Escola na época achava que os oficiais dessas duas armas não precisavam de mais que sumário ensino geral. O curso, portanto, apontava claramente para a superioridade intelectual das armas "científicas", e a forma como os alunos apelidavam os anos de infantaria e cavalaria não poderia ser, a esse respeito, mais eloqüente: "curso de alfafa". Esse desprezo dos oficiais "científicos" pelos "tarimbeiros" gerava, como observa o senador Henrique Ávila num discurso de 1884, uma rivalidade que podia levar à indisciplina:

> Rivalidade esta que tem-se dado em todos os exércitos do mundo, dá-se também entre nós. Completa seus estudos um moço nas escolas, vai para um corpo, e encontra-o comandado por um homem que não cursou escolas; ele começa a olhar para o seu superior com olhos de quem não o respeita, porque tem sobre ele a superioridade do saber e da inteligência. É esta uma das causas mais poderosas da indisciplina do Exército, porque, cumpre confessar, esta indisciplina é mais nos oficiais do que nos soldados.[6]

Na Escola Militar, os estudos teóricos mereciam maior atenção do que os estudos práticos. Estes, na realidade, parecem ter sido bastante deficientes. Um capitão, escrevendo em 1883 na *Revista do Exército Brasileiro*, apontava, como "vício" que viria de longa data na Escola, "a importância exclusiva que se liga à teoria, e o desprezo pela parte prática, considerada como acessório sem importância, merecendo até, os que a ela se dedicam, o epíteto de tarimbeiros" (cf. Mota, 1976:203-4). Dessa forma, acentuavam-se ainda mais as diferenças, já mencionadas, entre os oficiais formados na Escola Militar e o restante do Exército. Na falta de perspectivas consideradas atraentes para a ascensão profissional dentro do Exército, os jovens "científicos" passavam a interessar-se menos pela profissão

6. *Anais do Senado Brasileiro*, 1884, vol. I, p. 110.

militar (muitas vezes a falta de vocação era assumida) e mais por seu pertencimento à elite intelectual da sociedade brasileira. Era com os membros dessa elite que disputavam, social e simbolicamente, espaço e poder.

Já foi mencionada a hegemonia dos bacharéis em direito no interior da elite brasileira durante o Império. Memórias de militares, por outro lado, retratam uma situação de baixo prestígio social de sua profissão. Um aluno conta que, em 1889, um português dono de açougue lhe respondeu com insolência, quando pediu que vendesse carne a crédito, que "não queria negócios com *suldados*" (Monteiro, A., 1921:43); um filho de comerciante registra que só pôde ir para a Escola Militar após vencer "o forte preconceito social que existia, contra a farda, (...) vista com menoscabo" (Moura, 1936: 233-5); e o visconde de Taunay, ex-aluno e ex-professor, afirma que:

> Pretendesse qualquer oficial, um alferes, um tenente, por bem reputado que fosse, a mão de qualquer moça de família mais notada pela posição e por seus haveres; eram surpresas, pasmo, sorrisos de compaixão, mil dificuldades, ao passo que todas as portas pressurosas se abriam ante a solicitação de qualquer bacharelzinho saído de fresco das escolas, mas que contava com patronos no Senado, na política e na alta administração (Taunay, 1933:25-6).

Enquanto o *status* social dos militares era baixo, os jovens bacharéis em direito tinham caminho aberto para cargos e funções públicas em todos os quadros administrativos e políticos do país. Os jovens "científicos" do Exército, a "mocidade militar" formada na Praia Vermelha, lutavam para situar-se melhor dentro de um campo social dominado pelos bacharéis em direito. A Escola da Praia Vermelha, antes que militar, era *rival* das academias civis.

3
O Tabernáculo da Ciência

A oposição de jovens militares "científicos" aos bacharéis em direito aparece em diversos momentos, como num artigo de 1890 em que um deles critica a "gabolice de borla e capelo, a quem se entrega a Justiça", a "insciência togada" e o "triste quadro das nossas academias de direito, onde estuda-se a sociedade sem as noções das mais simples leis naturais" (Cunha, E.,1984:54). Um ex-aluno escreve a um amigo, em 1883: "Contra as pretensões da canalhocracia jurista, só podemos opor a disciplina da ciência e a aristocracia da força" (cf. Sousa, 1937:124). Foram mencionados elementos "científicos" como sendo aqueles que faltariam aos bacharéis em direito. O estudo das ciências, e em especial da matemática, era um poderoso elemento simbólico de diferenciação para os estudantes militares da época, um elemento constitutivo de sua identidade social. Não é por outra razão que, informalmente, os alunos chamavam sua escola na Praia Vermelha de "Tabernáculo da Ciência".

Vimos no capítulo anterior que era forte a presença da matemática e das ciências no currículo. O estudo da matemática superior foi durante quase todo o Império uma exclusividade da Escola Militar, e a esse estudo era atribuída uma importância muito maior do que nosso senso comum de hoje poderia supor. No discurso de abertura das aulas de 1851, por exemplo, um professor fez o elogio das matemáticas, afirmando que ocupavam o principal lugar nos estudos realizados na Escola Militar e, "desenvolvendo a nossa razão, nos conduzem a descobertas úteis, dispõem o nosso espírito às meditações, e nos inspiram insensivelmente o amor dos conhecimentos sólidos" (cf. Mota, 1976:91). Ou seja, a matemática era conceituada como valor essencial na formação de estados mentais e de predisposições psicológicas, como fundamental à formação da estrutura mental dos jovens militares. A matemática e o estudo das ciências parecem ser, parodiando uma imagem de Durkheim, a "ossatura" do espírito da mocidade militar que habitava o "Tabernáculo da Ciência".

Os jovens militares formados na Escola Militar da Praia Vermelha no final do Império possuíam em comum um mesmo acervo cultural de metáforas, exemplos, imagens e narrativas exemplares, retirado em grande parte da matemática e das ciências e aplicado a situações particulares. A presença da linguagem matemática pode ser sentida inclusive — e principalmente — no cotidiano, como sugerem alguns apelidos dados pelos alunos: o ajudante-de-dia era chamado de "co-seno", o salão do 2º andar de "expoente", havia um "capitão Princípio"...

O melhor exemplo de como a matemática e as ciências em geral eram elementos estruturantes da cultura específica à "mocidade militar" são os escritos de época dos jovens militares, repletos de imagens cientificistas. Um ex-aluno, recém-desligado da Escola Militar, afirma, em artigos de jornal escritos entre 1888 e 1890 (quando tinha 22-24 anos), que o homem, em sociologia, possui a mesma "existência subjetiva de um tipo abstrato" que "o átomo na química ou o infinitamente pequeno na matemática". Fala de idéias que traduzem o "zênite da mentalidade moderna e, como as luzes meridianas iluminam sem a produção da sombra, definem-nos as posições mais límpidas e mais francas". Essas idéias produzem, "movimentando as consciências, o mesmo efeito salutar que na ordem física realizam as correntes marinhas sobre o clima dos continentes" (Cunha, E., 1966, I:563 e 573). Outro aluno, em artigo sobre "A morte do amor", afirma que a biologia conduz com segurança à descoberta da forma mais antiga e simples do amor — que é, e cita uma passagem da *Antropogenia* de Haeckel, "a afinidade eletiva de duas células diferentes: a célula espermática e a célula ovular".[1]

No Brasil, o cientificismo não foi exclusivo dos jovens militares "científicos". Ele também desenvolveu-se nas escolas de direito e medicina. Nestas, no entanto, nunca foi hegemônico, como na Praia Vermelha, nem utilizado tão claramente como elemento constituti-

1. Pedro Ivo, na *Revista do Clube Acadêmico*, n. 1 (jul. 1881), p. 25.

vo da identidade social de um grupo. Tenho utilizado o termo "cientificismo" no sentido de uma supervalorização da ciência, seguindo Barros: "Não que os cientificistas valorizem a ciência pela ciência — o que reconhecem é a inocuidade de qualquer solução 'não-científica' para os problemas humanos" (1959:32-3).

De acordo com a mentalidade cientificista, o mundo dos valores seria redutível ao plano dos fenômenos físicos e naturais, dos quais diferiria apenas por ser mais complexo, e não por ser de outra natureza. A filosofia, a política e a moral deveriam, assim, tornar-se também "científicas". Esse projeto estava presente já no Iluminismo europeu. A novidade do século XIX foi a incorporação da história à natureza, principalmente através da noção de *evolução* e da idéia de que o determinismo presente no mundo natural seria o mesmo que rege o desenvolvimento da humanidade. Dessa forma, os valores morais, políticos e filosóficos passavam a ser vistos como manifestações do estágio em que se encontrava a humanidade. Isso alimentava um sentimento de superioridade intelectual por parte dos cientificistas, que se consideravam produtos, obviamente, do estágio mais "adiantado" da humanidade.

O tipo intelectual característico do cientificismo imperou na segunda metade do século XIX, encarnado em diversos *ismos:* materialismo, positivismo, darwinismo, evolucionismo. Todos procuravam descobrir a *lei* que rege o progresso, que determina a evolução. Com Comte, por exemplo, ela tomaria a forma da lei dos três estados; com Darwin e Haeckel, da luta pela vida e da sobrevivência dos mais aptos; com Spencer, da evolução do homogêneo para o heterogêneo, da diferenciação. Aplicadas à realidade brasileira, essas diferentes interpretações cientificistas apontavam num único sentido: a história nacional era pensada como parte do movimento universal, e não como entidade distinta.

> Os cientificistas de então sentem-se integrados no mundo ocidental, comungando os seus ideais e lutas. (...) O que querem não é construir à força uma vida e um pensamento originais, mas integrar plenamente a nação *numa civilização* que, no seu entender, é a *própria civilização.* É vencendo o atraso cultural e político do país que se faz obra verdadeiramente positiva e civilizadora. Em outros termos, para usar de uma expressão cara aos homens de então, é preciso pôr o país "ao nível do século" (Barros, 1959:165).

Dada a identidade entre o nacional e o universal, a situação específica do Brasil passava a ser vista como uma etapa de um percurso já realizado pelas nações "mais adiantadas". Para o cientificista, pois, cumpria apressar a marcha do progresso do país, de forma a que ele passasse a tomar parte, ativamente, da história universal.

A cultura associada à importância do título de bacharel — o "bacharelismo" — foi introduzida no Brasil já no século XVI pelos jesuítas, embora só viesse a florescer e predominar no século XIX. O bacharel, tipo urbano por excelência, assinalou, segundo Gilberto Freyre (1974; 1977), o declínio do patriarcalismo. O trabalho técnico ou manual não seduzia ninguém numa sociedade escravocrata, e o senhor rural tradicional foi progressivamente perdendo prestígio aos olhos de uma juventude urbanizada e mais cosmopolita. A mentalidade "bacharelesca" caracterizava-se por ser o produto de um tipo de ensino avesso à ciência experimental e mais voltado para as letras e a retórica, resultando um claro desprezo pelo trabalho técnico e produtivo. Nas décadas finais do Império, ser "bacharel" tornou-se um ideal de vida. A juventude urbanizada procurava os diplomas dos cursos superiores mais em função do *status* social que conferiam do que por autênticas vocações.

O conteúdo mais "técnico" do ensino militar diferenciava-se claramente da educação centrada nos "estudos clássicos" dos bacharéis das escolas de direito e medicina do Império. Era, por isso, considerado pela elite um tipo de conhecimento inferior, embora, como já vimos, os militares formados pela Escola Militar invertessem essa avaliação. No entanto, é importante perceber que a *forma* que assumia o tipo de discurso e pensamento característico da "mocidade militar" muito se assemelhava ao modelo tão criticado nos bacharéis, dos quais gostaria de parecer a antítese. Não se deve imaginar que na Escola se realizassem estudos práticos ou experimentos científicos significativos. Predominava o mesmo estilo "bacharelesco", tão criticado nos cursos de direito. O título de "bacharel em matemáticas e ciências físicas" concedido na Escola Militar, embora enfatizasse a importância do ensino da matemática e das ciências, também situava seu titular no campo acadêmico dos "bacharéis". Os bacharéis militares disputavam prestígio social com os bacharéis civis usando armas diferentes, mas lutando segundo as mesmas regras. Militares do tipo "tarimbeiro", ainda no Império, e outros de orientação mais "profissional" no futuro, foram contundentes ao apontar essa semelhança, tratando pejorativamente os jovens "científicos" por "bacharéis fardados".

As semelhanças na forma do pensamento e do discurso não devem, no entanto, obscurecer importantes diferenças de *conteúdo* — já vimos que no currículo da Escola Militar e nas figuras de linguagem usadas pelos alunos predominam elementos "científicos" — como também de *socialização* escolar e profissional. O funcionamento efetivo, embora não perfeito, de um sistema escolar baseado no mérito pressupunha o rigor e a seriedade das formas de avaliação individual e, por conseguinte, de todo o processo de ensino. Vimos acima um capitão "científico" tentando dissuadir um jovem a ingressar na Escola Militar alegando a dificuldade do ensino, em especial o da matemática superior. São recorrentes, nos textos autobiográficos, referências à dificuldade do ensino na Praia Vermelha. Por exemplo, dos 75 alunos da turma de 1880 matriculados no 1º ano do curso superior, só 13 chegaram, ao final do 2º ano, com as aprovações plenas necessárias à nomeação para alferes-aluno (Carvalho, S., 1950:24).

O quadro do ensino nas faculdades de direito e medicina parece ter sido bastante diferente. O relatório do diretor da Faculdade de Direito de São Paulo referente a 1879 afirmava que, da comparação do número total dos examinados com o pequeno número de reprovações, se podia "concluir com segurança que houve demasiada indulgência da parte dos examinadores" (cf. Barros, 1959:206). Um lente da Faculdade de Direito do Recife escreve, em 1873:

> Confessamo-lo com franqueza e profundo pesar: os estudos são entre nós nulos, inexatos, ou raros; as lições são continuamente desprezadas, ou não seguidas; as dissertações e trabalhos acadêmicos são feitos por outrem, em vez de o serem pelos próprios, individualmente falando; finalmente, os graus são conferidos depois de provas tão fáceis, que não merecem o nome de exames: a carta de bacharel em Ciências Sociais e Jurídicas é apenas um título, que se adquire depois de certo tempo, sem estudo, sem trabalho, e que se traz efetivamente sem glória, porque nada custou a alcançar, é apenas preliminar indis-

pensável para se chegar à posse, ou à aquisição de um outro estado (cf. Barros, 1959: 207).

A situação não era muito diferente nas faculdades de medicina. Os poucos reprovados na Faculdade de Medicina do Rio de Janeiro transferiam-se para a da Bahia, onde o "rigor" era menor, para obter a aprovação (Barros, 1959:206). O ensino formal nas faculdades de direito e medicina aparece, portanto, mais como um ritual acadêmico do que como transmissão de conhecimentos profissionais. Essa é a visão de Venâncio Filho (1977), para quem nunca houve efetivamente ensino jurídico no Império, mas sim uma vida acadêmica extra-ensino bastante intensa, independente da relação aluno-professor. A tese de Adorno (1988) a respeito da Faculdade de Direito de São Paulo durante o Império aponta na mesma direção: o ensino efetivo ocorria fora das salas de aula, na vida prática e nas associações artísticas, literárias e políticas mantidas pelos alunos.

Na Escola Militar, o ensino acadêmico em sala de aula parece ter sido sempre mais efetivo do que nas academias de direito e medicina. No entanto, a socialização informal que ocorria fora das salas de aula, comandada pelos próprios alunos, foi também muito mais importante para a formação da mentalidade característica da "mocidade militar" do que aquilo que se aprendia com os professores. Pelo menos dois indicadores apontam nessa direção. Primeiro, a quantidade muito menor de referências, nas memórias de ex-alunos, aos professores e ao ensino formal do que à socialização informal — trotes, associações, lazer intra-alunos etc. Em segundo lugar, o fato de que muito do que mais intensamente se discutia nas revistas e reuniões dos alunos *não* fazia parte do currículo nem era ensinado pelos professores. Por exemplo, as teorias cientificistas mais modernas, como as de Spencer e Haeckel.

O aluno Ximeno de Villeroy narra uma discussão que teve com um aluno positivista ortodoxo que discorria longamente sobre a "pintura das equações", em uma "roda de *bichos* embasbacados" (Villeroy, 1928:177). Alunos atuando como socializadores intelectuais de outros alunos mais novos aparecem também nas descrições de sessões de sociedades de estudantes. A de 2/7/1882 do Clube Acadêmico, por exemplo, nos oferece um instantâneo interessante do clima intelectual da "mocidade militar" da época.[2]

2. Publicada em um fragmento da *Revista do Clube Acadêmico* localizado no

A sessão é presidida pelo aluno Caetano Faria de Albuquerque (24 anos). O primeiro orador, Lauro Sodré (23 anos), aluno do último ano, menciona que a assembléia era composta de "moços que principiavam a estudar". Em sua palestra, diz que aquela assembléia lhe despertava a idéia de uma outra, a Academia de Ciências de França, e trata de incidente que teve lugar na ocasião em que foi recebido, "nesse grêmio augusto", o eminente Louis Pasteur. Fala em seguida da função social da religião e da idéia que surgiu "no espírito do maior pensador do século" — isto é, Auguste Comte —, de fazer da humanidade o objeto de sua religião. Só com uma religião unanimemente professada poder-se-ia se estabelecer a unificação moral e a perfeita solidariedade humana: "É a idéia do século. É a religião que não se opõe à ciência." Como prova, cita as grandes comemorações realizadas por ocasião dos centenários dos homens ilustres na América e Europa, "sintomas precursores de que a idéia, em futuro não remoto, terá universal aceitação", e conclui: "incontestavelmente o positivismo será a filosofia do futuro, o lábaro redentor, em torno do qual hão de vir agrupar-se os levitas do porvir!"

Em seguida, fala o aluno Saturnino Cardoso (também de vinte e poucos anos), para discutir a seguinte tese: "É legítima a divisão da história em três idades?" Ele diz que sim, e afirma que a Idade Antiga é caracterizada pela evolução ativa (intelectual e social), e a Idade Média, pela evolução sentimental: "Nos tempos modernos nota-se a falta de coesão moral determinada pela decadência do cristianismo que agoniza lentamente aos golpes da ciência." Saturnino mostra que esta divisão da história está de acordo com a lei sociológica dos três estados, de Comte. Finalmente, para encerrar a sessão, o aluno Servílio Gonçalves (22 anos) faz a leitura de seu poema inédito "Lucas ou o crime impune".

Indiquei a idade dos alunos-palestrantes para exemplificar o fato de que, embora jovens, desempenhavam um papel ativo na socialização e formação intelectual de alunos ainda mais jovens. Estes, muitas vezes, viviam um verdadeiro choque intelectual ao chegar, a maioria, das províncias para estudar no "Tabernáculo da Ciência" — denominação, lembremos, dada pelos próprios alunos à sua Escola, significando mais a escola informal que a formal. Esse

---

Arquivo JB.

processo, por sua intensidade e velocidade, poderia dar a esses jovens a sensação de que sua pouca idade cronológica era compensada pela grande vivência que extraíam do esforço individual para ascender nos estudos e na vida profissional, da nova e intensa sociabilidade desenvolvida na Escola e, principalmente, do contato com as doutrinas "científicas" e "modernas".

Pode ser desse sentimento que fala o aluno Euclides da Cunha num poema de 1888: "Mal tenho vinte e um anos/ E sou um velho poeta (...) Mui cedo (...) eu enfrentei o mundo". Em outro, de 1886, cujo título, "Mundos extintos", bem poderia traduzir a sensação de mudança abrupta que essa geração experimentava, Euclides falava "desta velhice trágica aos vinte anos" (Cunha, 1966, I:642 e 650). O aluno Lauro Sodré, em artigos de 1881 que polemizam com o clero paraense, escritos quando tinha 23 anos, é outro exemplo de como o contato com as doutrinas "científicas" dava a esses jovens um sentimento de superioridade intelectual, apesar da pouca idade: "Mais valor tem uma observação mesmo curta, mas bem dirigida, do que longos anos de uma experiência desorientada. Não admira, portanto, que o moço obscuro, autor destas linhas, conheça a filosofia positiva e que a desconheçam velhos sacerdotes da religião católica" (Sodré, L., 1896:149).

Já foi mencionado o fato de que a socialização desses jovens, ocorrendo na maioria das vezes longe de suas famílias, reforçava a importância do grupo de pares e o desenvolvimento de laços horizontais de camaradagem e lealdade. Esses laços materializavam-se também nas sociedades científicas, literárias e filosóficas, mantidas pelos próprios alunos, que existiram na Escola Militar.[3] Se eram permitidas pela direção da Escola, não eram dela originárias nem dela dependiam. No período 1874-1889, existiram, de forma intermitente, entre outras, as sociedades "Fênix Literária", "Recreio Instrutivo", "Amor à Tribuna", "Clube Acadêmico" e "Família Acadêmica". Existiram ainda associações abolicionistas e republicanas — das

3. Sobre as associações artísticas e literárias, ver principalmente Monteiro, A. (1921) e Peregrino (1967). Para o "Clube Acadêmico" e a "Empresa Gutenberg", utilizei-me basicamente de documentos do arquivo José Bevilacqua.

quais trataremos adiante — e artísticas, como a "Sociedade Dramática", que promovia peças teatrais.

A revista publicada pela "Fênix" era essencialmente literária, trazendo artigos de alunos com títulos como "A poesia científica", "O destino do realismo" e "Evolução do teatro no século XIX". O "Recreio Instrutivo" mantinha uma biblioteca com centenas de livros, em especial romances e trabalhos científicos, muito consultada pelos alunos pobres. A sociedade "Amor à Tribuna" oferecia sessões para a explanação de teses científicas e a apresentação de trabalhos literários e científicos. Essas sociedades realizavam sessões com títulos como: "Qual a melhor obra literária, *Iracema* ou *Graziela*?", "A humanidade em sua marcha incessante para a perfectibilidade progride também moralmente ou seu progresso consiste apenas na ordem física?" e "Será possível a paz universal?".

O "Clube Acadêmico" promovia sessões comemorativas de fatos ou vultos nacionais ou internacionais — sobre as quais nos deteremos adiante — e manteve, de 1881 a 1888, a *Revista do Clube Acadêmico*. O primeiro número da *Revista* traz a parte inicial da *Geometria analítica a duas dimensões*, de Comte. A publicação dessa revista passou a ser responsabilidade, a partir de 1882, da Empresa Gutenberg, criada por alunos e sediada na própria Escola Militar. O contrato de fundação estabelecia como finalidade da empresa "a publicação de obras científicas e literárias de primeira ordem, no intuito de vulgarizá-las, começando pela *Revista do Clube Acadêmico* desta Escola, caso seja aceito o projeto que lhe vai ser enviado". A empresa possuía uma média de 30 alunos acionistas; alguns já foram ou ainda serão mencionados no decorrer deste livro, como José Bevilacqua (em seus 19 anos), Saturnino Cardoso, Tomás Cavalcanti e Ximeno de Villeroy. Em 1884, a empresa estava na bancarrota, mas mesmo assim conseguira encerrar a publicação da primeira parte da *Geometria analítica* no n. 12 da *Revista do Clube Acadêmico*, quando foi rescindido o contrato. A segunda parte do livro de Comte, traduzida pelo aluno-acionista Ximeno de Villeroy, só seria publicada em 1887.

Em que pese o grande interesse na publicação desse livro de Comte, é equivocado pensar que a revista fosse exclusivamente positivista, ao menos ortodoxamente positivista. No primeiro número, por exemplo, entre os artigos que se seguiram ao trecho da *Geometria analítica* estavam: "Homenagem à memória de Littré" — ex-discípulo que rompera com Comte —, por Pereira Parobé, onde se afirmava que, com sua morte, "a falange da ciência abriu um claro difícil de ser ocupado", e "As bases do positivismo", de Rodolfo Pau Brasil, segundo o qual Comte, apesar de ter sido um grande matemático e primeiro sociólogo, em ciências físicas apenas possuía, citando o naturalista Huxley, "o conhecimento mais superficial e meramente de segunda-mão". Neste artigo, que exemplifica o impacto de doutrinas evolucionistas pós-comteanas, são também mencionados Darwin, Wallace, Haeckel e Tyndall. O autor fala das "críticas vitoriosas" de Spencer a Comte e professa sua admiração pela teoria da evolução de Darwin e Haeckel — este, opositor das classificações sistemáticas em ciências naturais —, afirmando que:

> A evolução matou a classificação (...) Cadáver é todo o sistema filosófico, cadáver é todo o sistema político, que não inscrever na fronte esta síntese: *Evolução.* A filosofia, as ciências, a arte, a indústria e a humanidade, malgrado todas as peias sistemáticas, apesar de todos os despotismos, inconsciente ou conscientemente, sempre têm evoluído, evoluem e hão de evoluir. É esta a lei fatal. Ai! dos que se opuserem calculada e sistematicamente.

A *Revista da Família Acadêmica,* órgão da sociedade de mesmo nome, foi publicada entre novembro de 1887 e maio de 1889. Além de temas científicos e filosóficos, como "H. Spencer e o evolucionismo", "Algumas palavras sobre a equação geral da mecânica" e "Ciência e religião", também trazia crônicas de livros, poemas e alguns poucos artigos profissionais. Na apresentação do primeiro número da revista, os redatores colocam-na como sucedânea das anteriores e expõem suas finalidades.

> A *Revista da Família Acadêmica,* na sua qualidade de fenômeno superorgânico e tanto quanto um ser vivo que se modifica no sentido de suas conformações com o meio — sob a ação incoercível da lei biológica da adaptação, e em virtude da mesma lei, também há de definir-se — no espaço e no tempo — por conformações adequadas ao movimento espiritual moderno, de modo a adquirir a feição local do momento histórico que atravessamos.
>
> Isto claramente explica como ela deverá ser a tradução escrita, perpetuamente documentada, de uma das fases evolutivas do pensamento contemporâneo, tanto em suas atividades múltiplas, em suas lutas sem tréguas, como em suas mais obscuras ou grandiosas aspirações estéticas e filosóficas.
>
> (...) [Nosso programa literário] reduz-se ao seguinte: cultivar a arte, a ciência, a filosofia e a religião — tanto quanto nos for

> possível, com plena liberdade para o direito de discussão, de análise e crítica, sob o influxo da mais severa disciplina moral.
> O justo reconhecimento deste direito, que tem por origem o fato universal de não haver na espécie um nivelamento de consciências ou de capacidades espirituais, leva-nos a franquearmos as páginas da nossa revista ao concurso de todas as crenças, opiniões, idéias e sentimentos, reservando-nos, porém, a faculdade, que nos dá o nosso mandato, de impugná-los, isto é, de não dá-los a publicidade quando ofensivos à verdade e ao bem realmente adquiridos, à moral pública e privada, ou quando referentes à atual administração do nosso país. Tais restrições são o complemento indispensável do nosso programa, que assim o exige para melhor ser praticável e poder produzir todos os seus efeitos civilizadores.
> Ainda que laconicamente, presumimos ter deixado bem definidas não só nossa situação na imprensa nacional, os intuitos que nos movem, como também a conduta que devemos seguir em tudo quanto disser respeito a nossa modesta empresa. (...) [A nova revista], livre de preconceitos e cheia de nobres incentivos — vem alistar-se nas fileiras dos reformadores pátrios, exclusivamente consagrada ao nosso aperfeiçoamento moral e mental.

Diversas passagens dessa "apresentação" merecem destaque. Em primeiro lugar, a linguagem "cientificista" dos redatores, especialmente devedores do evolucionismo, na menção à "espécie" humana e na classificação da revista como um "fenômeno superorgânico" que, "tanto quanto um ser vivo", "se modifica no sentido de suas conformações com o meio". Em segundo lugar, o universalismo — como já foi observado, uma das características da "mentalidade cientificista": a revista "há de definir-se por conformações adequadas ao movimento espiritual moderno, de modo a adquirir a feição local do momento histórico que atravessamos". Em terceiro lugar, a ambição dos redatores, que, longe de pensarem na revista como um mero jornal escolar, falam de seus "efeitos civilizadores", de sua situação "na imprensa nacional", e de seu alistamento "nas fileiras dos reformadores pátrios". No editorial de novembro de 1888, os redatores chegarão a afirmar que a revista "está destinada a prestar incalculáveis serviços aos nossos vindouros". Finalmente, é de se destacar a preocupação em evitar artigos diretamente referentes "à atual administração do nosso país", uma medida que, no intuito de preservar a revista de possíveis censuras por parte da direção da Escola Militar ou do Ministério da Guerra, teria o efeito de tornar o programa da revista mais "praticável". Ficam sugeridas, em outros momentos, críticas ao *status quo*, como no editorial de janeiro de 1888, que reafirmava a "disposição de continuar a luta, emancipando-nos mais e mais da intervenção empírica da autoridade" e desejava que os dias do ano que se iniciava fossem, "em contraste com os dias que foram do ano findo, (...) mais prósperos à sociedade brasileira e aos que do recanto obscuro dessas páginas lhe enviam gratas felicitações".

Por inúmeras vezes, nos escritos de alunos da Escola Militar do final do Império, surgem referências explícitas ao positivismo, ao evolucionismo, ao abolicionismo e ao republicanismo. É preciso, agora, nos determos em cada um desses termos, procurando entender não apenas o que significavam para a "mocidade militar", como também o tipo de ação social que inspiravam. Comecemos pelo positivismo, sempre apontado como a doutrina filosófica hegemônica entre os jovens militares que lutaram pela República no Brasil.

"Positivismo" é o nome atribuído por Auguste Comte (1798-1857) a seu sistema filosófico, que pode ser sintetizado em três temas básicos. Em primeiro lugar, uma *filosofia da história* baseada na "lei dos três estados". Segundo esta lei, o espírito humano (e, com ele, todas as ciências) passa por três fases: teológica, metafísica e positiva. Na fase *teológica*, o homem tenta explicar a natureza através da crença em espíritos e seres sobrenaturais. Nesse estado, a imaginação desempenha um papel muito maior do que a observação dos fenômenos. A confiança absoluta na autoridade dos seres sobrenaturais leva, por um lado, à coesão social; por outro, no plano político, à monarquia fundada no militarismo.

O estado *metafísico* utiliza a argumentação abstrata em vez da imaginação. Com isso, a vontade sobrenatural é substituída por "idéias" ou "forças" naturais, rompendo com a noção teológica da subordinação absoluta da natureza e do homem à esfera sobrenatural. No plano político, os juristas assumem o lugar dos reis, a partir da noção de "contrato", passando o Estado a basear-se não mais numa origem divina, mas na soberania popular.

No estado *positivo*, local de chegada da filosofia da história de Comte, a imaginação e a argumentação são subordinadas à observação. Passa-se a buscar compreender não mais a natureza íntima das coisas, mas suas *leis*, relações constantes entre fenômenos observáveis. Filiando-se a uma tradição que passa por Bacon, Galileu e Descartes, Comte demonstra fé cega no *progresso* e no papel da ciência como orientadora da vida social e pessoal, pois o conhecimento das leis naturais e sociais tornaria possível prever o futuro. O grande desenvolvimento da técnica no estado positivo levaria ao regime industrial — "industrial" no sentido da exploração da natureza pelo homem —, à substituição do poder dos juristas pelo dos cientistas e industriais e à concepção universal de humanidade.

O segundo tema básico da filosofia de Comte é uma *classificação das ciências*, uma escala que se inicia por aquela cujo objeto é o mais simples e indeterminado — permitindo um conseqüente maior grau de generalidade — e vai até aquela cujo objeto é, inversamente, o mais complexo e específico: matemática, astronomia, física, química, biologia e sociologia. A sociologia permitiria a totalização do saber, relacionando-o à idéia de humanidade. A sociologia divide-se em uma estática social, que estuda as condições constantes da sociedade — a *ordem* —, e uma dinâmica social, que estuda as leis de seu desenvolvimento — o *progresso*.

O terceiro tema básico da filosofia comteana é a reforma das instituições, levada a cabo pela nova elite científico-industrial. Ela não se daria através de uma revolução, e sim a partir da reforma intelectual do homem. Um elemento fundamental desse credo foi a criação por Comte, nos últimos anos de sua vida, de uma religião não-teísta, por ele denominada *Religião da Humanidade*. Sua idéia central seria a substituição do Deus cristão pela humanidade e da devoção aos santos pelo culto a grandes vultos, como Moisés, Homero, Aristóteles, Dante, Gutenberg, Shakespeare e Descartes, entre outros.

O aspecto religioso da filosofia de Comte foi sempre o mais criticado. Após sua morte, enquanto uma corrente chefiada de Paris por seu discípulo Pierre Laffite mantinha de maneira ortodoxa o sistema religioso como ápice da filosofia comteana, um número muito maior e mais influente de pensadores aceitava apenas, em proporções variáveis, a fase "científica" de sua obra. Dentre estes, destacam-se Émile Littré e o filósofo inglês John Stuart Mill.

Uma característica fundamental da história do positivismo é sua fragmentação através de muitos cismas. Além disso, o positivismo organizado nunca excedeu, em qualquer país, inclusive a França, poucas centenas de adeptos (Simon, 1963). Em certos países não-europeus, como Índia, México, Rússia e Japão, as idéias de Comte encontraram alguma ressonância, embora nunca tenham tido maior importância intelectual ou política (Forbes, 1975; Billington, 1960). Na América hispânica, a Religião da Humanidade foi praticamente ignorada. Em seus aspectos "científicos", no entanto, o positivismo teve repercussão um pouco maior, sendo adotado por alguns intelectuais ao final do século XIX como uma forma de "emancipação mental" — um instrumento ideológico contra o pensamento que lhes havia sido imposto pela colonização espanhola. Eles reconheciam na filosofia da história de Comte sua própria história, particularmente quando se tratava da passagem da etapa teológica (o período colonial) à metafísica (o Estado pós-independência), e desta à positiva (o futuro). O positivismo era visto como expressão da evolução natural do pensamento latino-americano que se seguiu à emancipação política (Zea, 1949 e 1987; Ardao, 1971).

No Brasil, referências à filosofia positivista apareceram de maneira esparsa na década de 1850, em algumas dissertações acadêmicas.[4] Em abril de 1876, sete pessoas criaram uma associação para promover um "curso científico" e a constituição de uma biblioteca. Embora o nome de Comte não seja citado no abaixo-assinado que criou a associação, esta é, de fato, a primeira associação positivista estável surgida no país.[5] Os associados propunham-se promover conferências sobre os diversos ramos da ciência, reunir-se pelo menos duas vezes por ano e dar contribuições mensais.[6] Dessa associação participaram Benjamin Constant (como tesoureiro) e Roberto Trompowsky, engenheiro militar que passaria a ser no ano seguinte professor de matemática na Escola Militar.

Em 1877, dois novos membros da sociedade, ex-alunos da Escola Politécnica, Miguel Lemos (1854-1917) e Raimundo Teixeira

---

4. Para a história do positivismo no Brasil, ver Azzi (1980), Carvalho, J. (1990), Costa, J. (1956), Lins (1964), Mendes (1913), Nachman (1972) e Torres (1943).
5. Segundo Teixeira Mendes, em 1868 Benjamin Constant teria fundado uma sociedade destinada ao estudo do positivismo, "a qual em breve se dissolveu sem deixar de si nenhum vestígio apreciável" (1913, I:163-4). Não há confirmação dessa informação em outra fonte nem no arquivo BC. Como veremos no próximo capítulo, Benjamin Constant era, havia alguns anos, seguidor das idéias de Comte, embora nunca tenha sido ortodoxo.
6. BC, Posit./Bib.Posit. 8760401.

Mendes (1855-1927), foram estudar em Paris. Mendes retornou logo ao Brasil, enquanto Lemos lá permaneceu até 1881. Em 1879, Teixeira Mendes conseguiu encaminhar a associação no sentido de acentuar a ortodoxia da doutrina: ela passa a chamar-se Sociedade Positivista do Rio de Janeiro e declara filiar-se à direção suprema de Pierre Laffite, o sucessor espiritual de Comte.

Regressando ao Rio no início de 1881, Miguel Lemos logo assumiu a presidência da Sociedade, transformou-a no Apostolado e Igreja Positivista do Brasil e tornou-se seu diretor, contando com a aprovação de Laffite. Teixeira Mendes ficou como vice-diretor. A mudança de orientação da antiga Sociedade Positivista, transformada agora em militante Igreja da Religião da Humanidade, causou o afastamento de Benjamin Constant e outros sócios. A questão imediata foi a recusa em pagar um subsídio sacerdotal para que Miguel Lemos pudesse dedicar-se integralmente à propaganda positivista. Benjamin Constant também não concordava com o estilo agressivo dessa propaganda, achando que o positivismo devia se impor "unicamente pela discussão calma, respeitosa e bem dirigida", como explica a Miguel Lemos na carta em que comunicou seu rompimento com a Igreja, em 1882 (cf. Mendes, 1913, I:246). Nesse momento de cisão, fica claro que os sócios que se desligaram consideravam a associação apenas um grêmio cultural de propaganda das idéias de Comte, especialmente de suas idéias "científicas", e não uma Igreja de pregação da Religião da Humanidade.

A direção de Miguel Lemos e Teixeira Mendes, que se prolongaria por quase meio século, foi pautada pela intransigente defesa da ortodoxia comteana, o que fez com que a Igreja nunca tivesse mais do que poucas dezenas de membros efetivos e vivenciasse diversos cismas. Em 1883, por exemplo, ela rompeu com o próprio Laffite.

Na Escola Militar, a influência positivista fez-se sentir a partir do ingresso de Benjamin Constant como professor de matemática do curso superior, em 1872. Juntamente com Roberto Trompowsky, seu repetidor a partir de 1877, o ensino de matemática do primeiro ano do curso superior passou a ser pautado pelos ensinamentos de Comte. No início de 1879, foi criado, por alunos, um Clube Acadêmico Positivista da Escola Militar, que pretendia trabalhar "para que a sociedade, cujo desmembramento se caracteriza pela crise que atravessamos, se reerga". Benjamin Constant foi convidado para ser sócio honorário.[7]

Apesar da influência de Benjamin Constant e Trompowsky, o positivismo não era — ao contrário do que às vezes se afirma — predominante no conjunto dos professores. Apenas na parte de matemática superior, com Benjamin e Trompowsky, o positivismo era hegemônico; mesmo assim, não reinava absoluto: Manuel Peixoto Cursino do Amarante, professor de mecânica racional, era fervoroso católico e monarquista. Segundo Nachman (1972:136), a porcentagem de professores positivistas na Escola Militar era de apenas 13% em 1881 e de 16% em 1886. Entre os alunos, embora poucos viessem a ingressar na Igreja, o positivismo era muito disseminado. Um deles chega a dizer que na Escola Militar "só se falava em positivismo, que era o assunto obrigado de todas as nossas palestras literárias ou científicas" (Silva, 1898:xxi). Observe-se a referência às "palestras literárias ou científicas" — as sessões dos diversos grêmios de alunos — e não às salas de aula.

Não é difícil entender o interesse despertado pela doutrina positivista entre os alunos. Em primeiro lugar, pela importância que atribuía à matemática e às ciências. Em segundo lugar, pela oposição tenaz ao espírito legista encarnado idealmente pelos bacharéis em direito — característico do "estágio metafísico" a ser superado. Terceiro, pelo lugar de destaque reservado à nova elite "científica" no estágio positivo que se avizinhava.

Às vezes se enfatiza o pretenso paradoxo de jovens militares se tornarem positivistas enquanto a doutrina de Comte pregava a futura extinção dos exércitos — estes não mais seriam necessários na paz universal que reinaria no estágio positivo da humanidade. Este raciocínio é equivocado, antes de mais nada pelo fato de que os jovens militares "científicos" davam uma importância pequena à carreira militar tradicional e não eram para ela orientados. Além disso, a doutrina positivista não era completamente hostil aos militares. Em alguns momentos, Comte exaltou a profissão militar e o espírito guerreiro, tendo como contrapartida o descrédito que lançava sobre o espírito legístico e a crítica que fazia à preponderância

7. A carta-convite está em BC, POSIT./Club.Posit. 8790520. Lauro Sodré afirma ter sido um dos fundadores do Clube (1896:288).

dos legistas na sociedade moderna, como já observaram Holanda (1972) e Queiroz (1986).

Autores como Oliveira Vianna (1933) e Fernando de Azevedo (1971) mencionaram a oposição entre as Escolas Politécnica e Militar e as Faculdades de Direito, tendo como elemento diferenciador o estudo da matemática nas primeiras, através do qual o positivismo nelas penetrou. Vale a pena, portanto, examinar mais de perto em que consistia o ensino de matemática na Escola Militar da Praia Vermelha.

Foi visto que os professores de matemática Benjamin Constant e Roberto Trompowsky eram positivistas. Trompowsky dedicou dois livros, *Lições de geometria algébrica* (1903) e *Lições de álgebra superior* (1904), à memória de Comte; ambos abrem-se com epígrafes retiradas da obra do filósofo. O curso de Benjamin Constant também seguia a matemática de Comte. Em seu arquivo encontram-se manuscritos de lições dos cursos de análise transcendente e mecânica racional da Escola Politécnica em 1876 e de cálculo aritmético na Escola Normal em 1880.[8] É de se imaginar que as lições na Escola Militar seguissem o mesmo espírito.

Benjamin iniciou seu curso na Escola Politécnica numa linguagem tipicamente comteana, lamentando que seu primeiro ato fosse protestar veementemente contra a "decadência geral" dos estudos matemáticos, que continuavam a ser ensinados pelas normas traçadas "no antigo regime". No entanto, "há mais de meio século um gênio eminente, imorredouro monumento de inexcedível sabedoria e da maior elevação a que pôde chegar a mente humana, abordando com o mais feliz êxito o vasto e dificílimo problema da reconstrução total do saber humano, instituiu em bases inabaláveis o plano geral de educação científica". Benjamin refere-se ainda a Comte como "gigante intelectual" e "imortal fundador da filosofia positiva". A primeira lição de seu curso na Escola Normal em 1880 inicia-se com o seguinte preâmbulo positivista:

8. BC, Esc.Poli./ensino 8760425 e Esc.Nor./ensino 8800515.

> Antes de entrar no estudo especial da aritmética (...) preciso fazer algumas considerações sobre as diversas ciências fundamentais (...) No estado de anarquia mental que infelizmente ainda domina o ensino oficial de todos os povos, a cultura de cada ciência é feita quase sem atenção à existência das demais ciências (...) O complexo das diversas ciências assemelha-se a uma república em que cada um pretende ser o presidente.[9] Essa falta de hierarquia (...) encontra-se também no interior de cada uma em relação à distribuição de suas diversas partes constituintes. E o que é ainda mais notável é que esta lamentável desordem se encontra também e em grande escala na própria ciência matemática, considerada com razão a mais perfeita. [A doutrina de Comte] infelizmente ainda é domínio de poucos, que se esforçam por fazê-la penetrar no patrimônio comum da humanidade.

Apesar da explícita vinculação de seus cursos de matemática ao sistema comteano, nos livros de Trompowsky e nas notas de aula de Benjamin não há, após as epígrafes e preâmbulos, referências a outras partes da filosofia positivista que não a matemática. Também não surgem referências a pensadores posteriores a Comte nem a outras doutrinas cientificistas. Um depoimento sobre Benjamin Constant afirma sua

> (...) imensa ignorância de tudo o que era estranho à matemática. Ele não sabia absolutamente nada de ciências naturais. Nas raras vezes em que contei a estranhos a conversa em que ele nos afirmou admitir perfeitamente que de objetos podres nascessem ratos, nunca os ouvintes me acreditaram facilmente. E no entanto, é verdade. (...) Nada, entretanto, se lhe afigurava mais fora de dúvida, porque, falando precisamente da Guerra do Paraguai, julgava poder dar a esse respeito um testemunho decisivo! (Albuquerque, 1981:112.)

Esta é uma característica importante a ser notada, pois nos escritos dos alunos a situação é bem diferente. Enquanto aqueles dois professores de matemática declaradamente positivistas se mantêm fiéis à filosofia matemática de Comte, porém a ela restritos, seus alunos, mesmo em textos de matemática pura, tratam de outros momentos da filosofia de Comte e mencionam outros pensadores cientificistas.

---

9. Note-se, nesta passagem, a conotação negativa do termo "república".

O livro *Elementos de álgebra ou cálculo das funções diretas* (1885), dos gêmeos Alfredo Cândido e Antônio Gabriel de Moraes Rego (26 anos), recém-formados pela Escola Militar, é um bom exemplo. O que causa estranhamento a um leitor atual — posto que o ensino do final do século XX nos habituou a ver a matemática como repleta de números, fórmulas, cálculos e equações — é o fato de esses elementos que povoam nosso senso comum matemático estarem ausentes das primeiras duzentas páginas do livro. O que pode haver, além de números, em duzentas páginas de um livro de álgebra? Basicamente, positivismo. Os primeiros capítulos são intitulados "Teoria elementar da abstração", "Classificação das ciências", "Apreciação da lógica positiva" e "Coordenação da filosofia matemática". São mencionados os pontos essenciais da filosofia de Comte, mas surgem referências também à classificação das ciências de Spencer. Apesar de abertamente comteanos, os irmãos Moraes Rego não são ortodoxos: admitem certos defeitos na classificação das ciências de Comte.

Nos escritos dos alunos, já aparecem, portanto, referências a aspectos mais extensos da filosofia de Comte e a outros pensadores cientificistas, e que os tornam diferentes do ensino de seus professores. Saindo do âmbito estritamente matemático — dentro do qual os elogios a Comte e seu lugar de pai fundador estão sempre garantidos —, os escritos dos alunos nos mostram um ambiente intelectual muito mais heterogêneo e diversificado que o de seus mestres.

Já foi assinalada a disseminação de doutrinas evolucionistas entre os alunos do "Tabernáculo da Ciência". Por "evolucionismo" entenda-se, aqui, um conjunto eclético de doutrinas que aplicavam a noção de "evolução" — gerada no campo da história natural — à sociedade humana. Darwin publicou em 1859 *On the origins of species by means of natural selection; or, the preservation of favored races in the struggle for life.* Neste livro, Darwin argumentava que as espécies existentes haviam evoluído de formas de vida anteriores, e introduzia a teoria da seleção natural como o mecanismo do processo de evolução. *A origem das espécies* produziu uma revolução intelectual nas décadas seguintes. Em pouco mais de dez anos, americanos e europeus perguntavam não somente se a teoria de Darwin era válida para a biologia, como também se era um retrato da vida humana. Surgiam os "darwinismos sociais", a aplicação das teorias de Darwin à evolução da sociedade humana. Durante os anos 1870, a discussão sobre as implicações sociais do darwinismo expandiu-se na França, com traduções dos livros de Darwin, a introdução da filosofia evolucionista de Spencer e traduções das obras do biólogo-filósofo evolucionista alemão Haeckel (Clark, 1984; Conry, 1974).[10]

O que se tornaria conhecido como "darwinismo social" na verdade parece ter derivado mais da obra de Herbert Spencer. Segundo seu "sistema de filosofia sintética", a evolução se processa do mais simples para o mais complexo, do mais homogêneo para o mais heterogêneo e do mais desorganizado para o mais organizado. Muitos comentadores viram a obra de Spencer como uma extensão do darwinismo para além da biologia, embora ele próprio sempre tivesse enfatizado seu débito para com Lamarck e a defesa da idéia de evolução biológica anterior a Darwin. Muitos também viram na doutrina de Spencer um desdobramento do positivismo de Comte, apesar de Spencer negar essa conexão. É verdade que ambos empregaram analogias entre organismos biológicos e sociais e destacaram o papel fundamental a ser ocupado pela ciência nos tempos modernos, mas as diferenças doutrinárias e políticas entre os dois eram grandes. Comte havia atacado a idéia de evolução em biologia, e seus seguidores mais completos — especialmente Laffite e Littré — rejeitaram as doutrinas de Darwin como meras hipóteses carentes de uma sólida base factual. Além disso, em termos políticos, enquanto Comte era um autoritário, Spencer era um liberal.

As idéias de Ernest Haeckel também são freqüentemente mencionadas em textos dos alunos da Escola Militar do final do Império. Ferrenho defensor da teoria evolucionista de Darwin, Haeckel, ao pretender generalizá-la e desenvolvê-la, acabou por criar uma teoria muito mais ampla, aplicável a todo o universo: o monismo. Segundo ela, não há espírito nem matéria, mas algo que é simultaneamente

---

10. Provavelmente os jovens militares "científicos" tomaram conhecimento dessas correntes "cientificistas" diretamente através de livros em francês, língua obrigatória na Escola. Em carta aos pais, de 29/12/1885, José Bevilacqua diz que "quase a totalidade dos livros acadêmicos, científicos, é em francês ou outra língua, havendo quase sempre tradução francesa".

ambos. A energia física e a energia espiritual seriam essencialmente a mesma coisa.

Apesar de teorias como as de Spencer e Haeckel tornarem-se crescentemente conhecidas na Europa durante as décadas de 1870 e 1880, não é correto afirmar que o cenário cultural estivesse dominado pelo darwinismo social por volta de 1890. O que predominava, principalmente na França da Terceira República, era um "culto à ciência", de contornos mal definidos.

No Brasil, as novas doutrinas cientificistas de matiz evolucionista começaram a ser introduzidas na década de 1870, e na década de 1880 foram ganhando espaço, enquanto o positivismo ortodoxo perdia ímpeto. Como observa Barros:

> A frase tantas vezes citada de Sílvio Romero — "Comte só foi largado por amor a Spencer, a Darwin, a Haeckel, a Büchner, a Vogt, a Moleschott, a Huxley" — não é expressão, apenas, de um caso pessoal: ela caracteriza a evolução da nova inteligência brasileira, que guardaria do filósofo francês o "espírito positivo" e, geralmente, (...) a crença na lei dos três estados, deixando para os infatigáveis apóstolos da religião da humanidade a conservação da doutrina integral do mestre. O *positivismo* faz-se *cientificismo.* (...) O positivismo é agora uma atitude; deixou, na maioria dos casos, de ser um sistema (1959:145).

Os escritos dos alunos da Escola Militar, como já foi mencionado, revelam um ambiente intelectual diversificado. Embora existissem positivistas ortodoxos, eles nunca formaram um grupo significativo entre os alunos. O cientificismo predominante era uma mistura eclética de diversas doutrinas. Geralmente se reservava a Comte a nobre posição de uma espécie de "pai fundador" do culto à ciência, além da exaltação de suas qualidades morais e do reconhecimento de uma maestria inigualada em assuntos matemáticos. Mesmo para os alunos conhecedores de teorias mais "modernas", Comte encarnava o protótipo de uma pessoa dotada de "espírito científico".

De qualquer forma, a existência de divergências entre o positivismo de Comte e as novas doutrinas cientificistas não era um assunto claro nem consensual. O jovem tenente Lauro Sodré, que acompanhamos há pouco exaltando Comte numa sessão do Clube Acadêmico em 1882, havia publicado, no ano anterior, uma série de 23 artigos no jornal *A Província do Pará,* sob o título de "A filosofia positiva". Em certo momento, afirmava ser "só um o resultado dos esforços de Spencer, Comte, Mill, Haeckel e Darwin. Todos os homens eminentes se confraternizam para um fim: trabalhar em prol da humanidade" (1896:40). Sodré afirma também que o evolucionismo de Spencer "consolidou a obra de Comte" e que, diante de Haeckel, a distinção de Comte entre um mundo orgânico e inorgânico se tornara secundária: "É uma tendência da moderna filosofia unitária, o monismo, a unificação objetiva dos fenômenos pela eliminação das barreiras entre o orgânico e o inorgânico" (p. 142).

Euclides da Cunha, escrevendo anos mais tarde, afirmaria que o positivismo não era influência exclusiva sobre sua geração. Apesar de haver "remodelado o espírito sob o influxo tonificador do notável critério científico do pensador francês", apenas "uma minoria diminutíssima" dos de sua geração aceitou todas as conclusões do "pontífice": "A maioria permaneceu autônoma. É escusado demonstrar. Basta a afirmativa incontestável de que em nossas indagações científicas preponderam, exclusivos em toda a linha, o monismo germânico [Haeckel] e o evolucionismo inglês [Spencer]" (1966, I:409). O sergipano José Maria Moreira Guimarães, que ingressou na Escola Militar em 1882, também afirmaria, posteriormente, que, embora considerasse Comte "o maior dos mestres mesmo no que se tenha de afastar dele", fora, enquanto aluno na Praia Vermelha, antes spencerista que positivista.[11]

O mais importante para os jovens "científicos" não eram filigranas doutrinárias, e sim o espírito geral dessas doutrinas. Se havia diferenças entre os autores, estas eram minimizadas por aquilo que afirmavam em comum: a fé no progresso e na posição de destaque devida à ciência. Sob esse ponto de vista, eram afins. Lauro Sodré:

> Eu não aceitaria a opinião de tanta gente, que vê no evolucionismo, no agnosticismo e no monismo três grandes correntes derivadas dos mananciais fecundíssimos da filosofia positiva, se tal juízo significasse que dos ensinamentos de Augusto Comte tudo isso diretamente promanou. Mas todos esses sistemas figuram caudais saídas da mesma fonte, e nos quais a cada passo se nos deparam elementos homogêneos, idéias idênticas, pensamentos iguais, por onde se denuncia a origem comum de concepções, ao parecer, diversas e até antagônicas (1896:iii-iv).

---

11. Ver original da entrevista de José Maria Moreira Guimarães utilizada por Gilberto Freyre em *Ordem e progresso*, localizada no arquivo da Fundação Joaquim Nabuco.

Além da fé no progresso e no culto à ciência, outro ponto comum a todas essas doutrinas, tal como percebido pela "mocidade militar", era a oposição à metafísica e à religião católica. Vivendo em um país que tinha o catolicismo como religião oficial, a maioria absoluta dos jovens militares "científicos" era de agnósticos ou ateus. A Religião da Humanidade, vista com simpatia por muitos alunos mas seguida fielmente por poucos, não reconhecia a existência de um deus nem do sobrenatural. Tratava-se de um sistema moral, embora copiasse os rituais católicos.

Escrevendo em 1886 a respeito de um livro do bispo do Pará, Lauro Sodré, tratando o catolicismo do ponto de vista "da moderna e sã filosofia" que seguia — isto é, o positivismo —, via a autoridade espiritual como "o signo de uma força hoje a extinguir-se": "Temos pelo catolicismo, e pelas entidades que o representam, o mesmo religioso respeito que tem o arqueólogo pelos restos da civilização antiga escavados de sob os montões de ruínas" (1896:93). Um poema de José Bevilacqua é bastante ilustrativo a respeito de como o homem "científico" via a religião tradicional:

> O homem é um grande luzeiro
> Ante o qual Deus se prostrou,
> É um oceano mui vasto
> Onde a ciência ancorou (...)
> É preciso que ele acabe
> Co' o abutre — Religião,
> Co' esse veneno que cega
> — A louca superstição (...)
> Que em lugar de Crucifixos,
> Rosários e Comunhão
> Semeie-se pr'aos povos livros
> Onde bebam instrução. (...)
> E pr'aos homens de ciência
> Não há religião, nem Deus:
> Só eles reinam na terra,
> Só eles reinam nos céus!

Se o catolicismo era criticado pela maioria dos alunos e a ortodoxia da Religião da Humanidade seguida totalmente por poucos, as *comemorações cívicas* eram eventos mobilizadores do conjunto dos alunos. Note-se, no entanto, que não se tratava das comemorações oficiais do Império. As memórias dos tempos de Escola Militar relembram as homenagens que os alunos prestaram a "vultos ilustres", como a participação destacada na festa do tricentenário de

Camões (10/6/1880) e na recepção triunfal a Carlos Gomes em sua volta ao Brasil em julho de 1880. Nesta, realizada no Teatro Lírico, Lauro Sodré foi escolhido como o orador que deveria saudar o compositor em nome dos alunos da Escola Militar (Sodré, E., 1970:21). Os alunos, sem consultar seus superiores, resolveram, neste dia, fazer o ponto das aulas facultativo: estas não aconteceram por absoluta falta de *quorum* (Monteiro, A., 1921:37).

Diversos eventos semelhantes ocorreram nos anos seguintes. Em 22/3/1882, reuniram-se, no salão do Real Clube Ginástico Português, por convocação dos alunos da Escola Militar, representantes das escolas Politécnica, de Medicina e de Belas-Artes, para tratar da comemoração do centenário do marquês de Pombal. Em 29/10/1883, os alunos da Escola Militar promoveram festa solene para homenagear o centenário de D'Alembert, no Liceu de Artes e Ofícios.[12] Em 22/5/1885, telegrafaram aos alunos da Escola de Saint-Cyr, pedindo-lhes que os representassem nos funerais de Victor Hugo. Anteciparam-se, assim, aos lentes da Escola, que suspenderam as aulas no dia seguinte, em demonstração de pesar.[13] O fanatismo dos alunos por Victor Hugo foi tal que tentaram, junto à Municipalidade carioca, dar seu nome à rua do Ouvidor, a principal do Império (Monteiro, 1921:41-2).

O que representavam, para a "mocidade militar", essas comemorações cívicas? Lauro Sodré, discursando na reunião do Clube Acadêmico que resumimos, citou as grandes comemorações dos homens ilustres que se realizavam na América e na Europa como precursoras da idéia de que uma Religião da Humanidade, "em futuro não muito remoto, terá universal aceitação". Escrevendo em 1896 a respeito da "religião positiva", Sodré diz que ela significa "essa fé demonstrável, que tem por dogmas as leis da ciência, e cujo culto espontaneamente celebram todos os povos civilizados, realizando as grandes comemorações cívicas, por meio das quais o sentimento se aperfeiçoa e exalta" (1896:xii). As comemorações são explicitamente vinculadas, portanto, ao positivismo, que substituiu o culto católico dos santos pelo dos homens ilustres. Assim procedendo, o Brasil estaria igualmente afinado com o que faziam os "povos civilizados". Outra razão para o interesse despertado nos jovens "cientí-

12. *Gazeta de Notícias*, 31/10/1883.
13. *O País*, 23 e 24/5/1885.

ficos" pelas comemorações cívicas é revelado por José Bevilacqua, escrevendo aos pais (8/5/1882) sobre os festejos promovidos pelos alunos da Escola Militar pelo centenário do marquês de Pombal, que se iniciavam naquele dia.

> Promete ser uma festa de máximo esplendor, digna de brasileiros e promovida especialmente por estudantes adiantados; na verdade os estudantes são os verdadeiros representantes dum país, porque neles está o vigor da mocidade, a inteligência e portanto as glórias do futuro; pois bem, entre os estudantes brasileiros parece que estas qualidades que enobrecem, que vivificam o progresso, parece que dominam com mais intensidade do que nos colegas de qualquer outra parte; porque vê-se que em todos os atos de uma solenidade científica, de uma solenidade toda moral o brado de celebração parte sempre primeiro de nossas fileiras e repercutindo na multidão produz o fim desejado para merecer os aplausos do mundo civilizado.

Fica evidente o sentimento de destaque social que essas "solenidades científicas" proporcionavam aos que sabiam "honrar o mérito tão bem quanto castigar o vício", aqueles que "vivificavam o progresso" e que teriam as "glórias do futuro" e os aplausos do "mundo civilizado" — eles próprios. José Bevilacqua havia recém-ingressado no curso superior da Escola Militar e, aos 19 anos, falava "com o entusiasmo próprio de quem pretende um lugar nesse glorioso grêmio". O tom dessa carta é diferente do de todas as anteriores: mais formal, empolado, retórico. Por esta época, ele estava passando à condição de habitante pleno do "Tabernáculo da Ciência". Na carta aparece também, pela primeira vez, uma menção ao cenário político nacional, no qual se via, "ao lado de um Ministério desmoralizado, a derrota eleitoral de um de seus ministros — a do ministro da Marinha". A partir de então, observações desse tipo se tornariam constantes em suas cartas.

Os motivos que levaram a "mocidade militar" a participar ativamente de comemorações cívicas são os mesmos que a levaram a tomar parte ativa no movimento abolicionista da década de 1880. Organizações abolicionistas proliferaram entre 1880 e 1883, e um dos principais problemas de seus líderes era o de unir os diversos grupos sob uma direção central. Havia duas correntes claramente definidas, tanto em relação à composição de seus integrantes, quanto às estratégias para a abolição: uma, liderada por Joaquim Nabuco, mais moderada — "emancipadora" —, incluía algumas personalidades eminentes do sistema político; outra, mais radical — "libertadora" —, reunia indivíduos de menor extração social, em grande parte influenciados tanto pelo positivismo quanto pelo republicanismo.

Em 1883, devido a divergências entre os dois grupos, líderes mais radicais como José do Patrocínio e João Clapp resolveram criar a Confederação Abolicionista, que se tornou rapidamente o foco do abolicionismo no Rio de Janeiro. Os membros da Confederação identificavam-se predominantemente com o pequeno Partido Republicano. Até 1885, quando a abolição se tornou parte do programa dos maiores líderes do Partido Liberal, políticos nacionalmente preeminentes não se haviam identificado com a Confederação.

Oficiais do Exército participaram da campanha abolicionista desde seu início. O próprio comandante da Escola Militar na época, general Severiano da Fonseca, permitiu a realização, por alunos, de eventos abolicionistas no interior da Escola. As raízes do sentimento abolicionista no Exército têm sido tradicionalmente localizadas na participação dos oficiais lutando ao lado de escravos libertos na Guerra do Paraguai. Estudos mais recentes, no entanto, problematizam essa afirmação. Dudley (1972:430) observa que a participação dos "libertos" na Guerra não era vista com bons olhos por chefes importantes, como os generais Osório e Câmara (visconde de Pelotas). Salles (1990:135-47) cita relatórios de Caxias ao ministro da Guerra, comentando os "maléficos resultados" que a introdução do elemento servil causou nas fileiras do Exército. Embora a simpatia de alguns oficiais superiores pela causa abolicionista possa ter sua origem na convivência com escravos libertos durante a guerra, o fato mais importante em relação à atuação do Exército na campanha abolicionista é o fato de que ela se deu, principalmente, através da ação de elementos pertencentes à *postwar generation*, nos termos de Dudley, que não viveram a experiência da guerra. O sentimento abolicionista entre esses jovens militares está diretamente ligado às idéias de progresso, cientificismo e evolução presentes no universo cultural da "mocidade militar".

Dentre os alunos da Escola Militar surgiram as primeiras e mais ativas organizações abolicionistas de estudantes da década de 1880

(Bergstresser, 1973). Em 28/5/1880, foi criada a Sociedade Acadêmica de Emancipação, que seria presidida por Jaime Benévolo, ator importante nos acontecimentos de 1889.[14] Essa sociedade promoveu coleta de fundos para a libertação de escravos e atos de alforria. Nas comemorações pelo retorno de Carlos Gomes, por exemplo, os alunos fizeram inserir nas homenagens diversos atos de alforria de escravos. Em 29/9/1880, a "Emancipadora", como ficou conhecida, realizou, no Teatro Lucinda, com a comédia *O demi-monde*, um benefício para o aumento de seus fundos destinados a alforriar escravos.[15] Nesse dia, parece que aderiram à causa o comandante da Escola e a maioria dos professores.[16] Em meados de 1881, a Emancipadora dava liberdade a cinco escravos. O poema "Castro Alves", escrito na ocasião por M. Valadão, membro do Clube Acadêmico, tratava a escravidão como um "cancro" no seio da pátria, e saudava a memória de Castro Alves, dizendo que: "Os versos da sua 'musa libérrima e audaz' serão a *Marseillaise* com que nós, defensores da mesma causa, havemos de saudar essa bandeira 'que a brisa do sul beija e balança' no dia em que, liberto o último escravo, ela não servir mais 'a um povo de mortalha!'"[17] Entre as doze sociedades que criaram a Confederação Abolicionista em 12/5/1883, encontrava-se também a *Libertadora* da Escola Militar (Duque-Estrada, 1918:95).

A libertação dos escravos pela província do Ceará em março de 1884 foi acolhida com euforia pelos alunos militares. Embora a idéia abolicionista fosse vista com simpatia por grande parte da oficialidade superior, não deixaram de ocorrer problemas. Em 3/4/1884, por exemplo, o ministro da Guerra colocou a guarnição da Corte de prontidão para impedir a participação da Escola Militar numa marcha cívica pela abolição. Em função disso, os abolicionistas civis pediram aos alunos militares que reagissem à ordem com moderação, para que a imagem do movimento não ficasse ferida.[18]

Os alunos, no entanto, continuaram bastante ativos. Ainda em abril, um jangadeiro cearense que se recusara a transportar escravos foi recebido como herói em sua chegada ao Rio e convidado pelos alunos da Escola de Tiro de Campo Grande (na qual alunos da

---

14. *Jornal do Commercio*, 29/5/1880; e Peregrino (1967:34).
15. *Jornal do Commercio*, 1/10/1880.
16. *Gazeta da Tarde*, 30/9/1880.
17. Fragmento da *Revista Clube Acadêmico*, 1881, localizado no Arquivo JB.
18. *Gazeta da Tarde*, 4/4/1884.

Escola Militar faziam estágios práticos) a visitar o estabelecimento. O comandante, tenente-coronel Antônio de Sena Madureira, não esteve presente ao evento, mas, por haver se recusado a prestar informações ao ministro da Guerra, foi por este punido com uma censura em ordem-do-dia e demissão do posto. O episódio não conteve o ímpeto abolicionista dos jovens militares. Suas iniciativas, aliás, parecem não se ter limitado a artigos, poemas e alforrias públicas. Um documento manuscrito de José Bevilacqua diz que a Sociedade Abolicionista da Escola, a par dos trabalhos de propaganda e de arrematar escravos em leilões para alforriá-los, se ocupava também em "*furtá-los* de seus proprietários e ocultá-los nas 'repúblicas' de alunos, existentes em Botafogo, para embarcá-los como criados de oficiais que viajavam para o Norte e que os desembarcavam livres no Ceará, a *Terra da Luz*".

A campanha abolicionista passou por um curto período de marasmo com a aprovação, em 1885, da Lei dos Sexagenários. Um sinal disso: em 1886, Joaquim Nabuco escreveu *O eclipse do abolicionismo.* José Bevilacqua refere-se a esta lei, em carta aos pais (29/9/1885), como um "aleijão". Em 1887, porém, a campanha recrudesceria — como veremos adiante —, com importante atuação da "mocidade militar".

Se militares como o próprio general comandante da Escola Militar simpatizavam com o fim da escravidão, os alunos eram mais radicais e pensavam além do abolicionismo. Numa sessão de alforria de escravos promovida pelas associações de alunos da Escola, em presença do comandante, um aluno, após discursar em favor do fim da escravidão, declamou uma poesia abertamente republicana e concitou o público a cantar a *Marselhesa.* Terminou preso (Peregrino, 1967:35-6).

A "mocidade militar" era republicana e, por diversas vezes cantaria ou tentaria cantar o hino revolucionário francês. Em 1883, por exemplo, foram publicados artigos em jornal, sob o pseudônimo de "Argos", que atacavam o ministro da Guerra, atribuídos a Roberto Trompowsky. Ele foi então transferido para a Paraíba, numa clara represália do governo. No dia do embarque, mesmo contrariando proibição expressa do comandante, os alunos fizeram-se presentes e discursaram protestando, ao som da *Marselhesa* (Peregrino, 1967:28, nota 4).

O republicanismo da "mocidade militar" era, a meu ver, oriundo da valorização simbólica do mérito individual somada à cultura cientificista hegemônica entre os alunos e jovens oficiais "científicos". As últimas décadas do século XIX viram a aproximação cada vez mais estreita entre o "culto da ciência" e o republicanismo. Na França, centro cultural do "mundo civilizado" de então, o surgimento da Terceira República elevou o culto da ciência, da razão, da evolução e do progresso à condição de ideologia oficial. "Ciência" tornou-se palavra comum nos manifestos republicanos, em paralelo ao avanço em popularidade da biologia evolucionista, e serviu como arma ideológica contra monarquistas e conservadores (Clark, 1984; Paul, 1985).

No Brasil, a estreita vinculação entre republicanismo e ciência também foi freqüentemente afirmada. Vejamos rapidamente duas posições que concordavam em ver a República como a única forma *científica* de governo. O jovem jornalista republicano gaúcho Joaquim Francisco de Assis Brasil, em seu livro *A República federal,* de 1881, afirmou ser a República "a mais racional de todas as formas de governo" (1983:40), por estar fundada sobre o "dogma científico da igualdade", entendido como "o reconhecimento do direito que tem cada um a desenvolver-se, a aperfeiçoar-se e a atingir a altura que os seus méritos lhe destinam. [A igualdade] é também, por conseqüência, a negação fundamental de todos os privilégios, ou direitos inatos: de casta, de família etc., etc." (p. 39). Este livro é importante porque era bastante lido e conhecido pelos jovens republicanos da Escola Militar (Leal, 1939:42). A tese fundamental de Assis Brasil era a de que no centralismo monárquico residia a principal fonte dos males nacionais e a federação republicana seria a solução para os problemas com que se defrontava o povo brasileiro. A pura e simples troca da forma de governo já traria efeitos sensíveis: a França, que, com a Monarquia, "caminhava para o abismo, de um dia para outro recebeu a forma republicana, e, desde a alta administração até os costumes privados dos seus habitantes, tudo se moralizou, revigorou, progrediu" (p. 26).

A vinculação entre ciência e República aparece também no positivismo ortodoxamente comteano de Miguel Lemos e Teixeira Mendes, embora num tom autoritário. Comte achava que a marcha do progresso levaria à adoção de uma "ditadura republicana" que deveria eliminar o parlamentarismo, embora mantendo a liberdade espiritual. Para não ferir a ordem social, a República deveria ser instituída "de cima, sem provir de uma insurreição qualquer" (cf. Paim, 1981:24); se possível, pelo próprio Imperador Pedro II. O positivismo ortodoxo se isolou propositadamente do movimento republicano. As críticas dos diretores do Apostolado à república democrática parlamentar — "despotismo metafísico" — são quase tão fortes quanto as que fazem à monarquia — "despotismo teológico-militar, retrógrado e anárquico ao mesmo tempo" (cf. Paim, 1981:30-1). Mendes e Lemos sustentavam, no entanto, a certeza de que, mesmo que viesse a ser instituído o republicanismo democrático, este haveria "de ser varrido da cena política, para dar lugar à ditadura republicana, e isso em futuro tanto mais próximo quanto mais cedo igual transformação operar-se em França. A sorte do mundo depende de Paris" (cf. Paim, 1981:31).

Não foi a Questão Militar de 1886-1887 que levou os alunos da Praia Vermelha a se tornarem republicanos: eles já o eram bem antes dela. Em 1878, foi fundado pelos alunos um clube secreto republicano que mantinha uma pequena casa em Botafogo (Moraes, E., 1985:72). Nos primeiros meses de 1885, foi fundado outro clube republicano secreto, disfarçado em associação beneficente. Esse clube organizou um plano — que não chegou a concretizar-se — para impedir que nas manobras do final de 1885 o comando da Escola promovesse qualquer homenagem ao conde d'Eu, como acontecera no ano anterior (Leal, A., 1939:42). O clube recebia *A Federação*, jornal republicano do Rio Grande do Sul, e tinha para a leitura dos seus associados *A República federal*, de Assis Brasil.

O tenente Lauro Sodré, que estudou na Escola Militar entre 1876 e 1884, participou ativamente da criação, em 11/4/1886, do Clube Republicano do Pará, seu estado natal. Afirmou, certa vez, que fizera sua profissão de fé político-filosófica aos 19 anos, logo após ingressar na Escola Militar (Sodré, E., 1970:19). Dirigiu, em 1885, uma "Carta ao Imperador", através do jornal *A Província do Pará*, onde afirmava, baseado nos métodos das ciências naturais, a inevitabilidade do progresso, "a marcha indefectível da civilização para diante". A Monarquia seria, citando Spencer, "um atestado de inferioridade mental e de baixeza de caráter" (Sodré, L., 1896:145-54). Lauro Sodré foi também o redator do manifesto publicado em Belém em 31/5/1886, no qual afirma que o objetivo é "a eliminação da realeza, que para nós representa a causa do nosso atraso" (1939:29-35). A certeza de que a República seria implantada era justificada em termos cientificistas: "Por virtude da evolução, essa lei eterna que rege todos os fenômenos da natureza, que vai do microcosmo ao macrocosmo, do átomo diferencial ao grande todo chamado universo, a luz da civilização pode penetrar os antros do despotismo e varrer da superfície da terra a sombra dos autocratas" (p. 30). A mudança de regime, no entanto, ao contrário do que pregava o positivismo ortodoxo, não ocorreria "sem comoção e sem abalo".

> Cremos firmemente que há de vir de baixo a revolução destinada a quebrar as armas da tirania, consagrando os instrumentos da democracia. Nós reconhecemos aos povos o direito à insurreição. Há momentos em que os empeços levantados pelo obscurantismo contra o avanço da engrenagem social têm de ser removidos pela força das multidões. São fatos naturais na ordem social, esses choques violentos chamados revoluções. (...) É sobre as ruínas e os destroços do passado que se levantará o futuro. Progredir é continuar, mas a construção tem por preliminar indispensável a demolição. Por uma fatalidade imanente, a humanidade não pode dar um passo para adiante sem revolver o terreno por onde jornadeia (p. 32-4).

É notável o radicalismo desse discurso, antes mesmo do início da Questão Militar, que muitos consideram o ponto de partida do processo de radicalização política do Exército. Também é notável que, nos escritos e nas memórias dos jovens "científicos", não apareçam referências a professores ou políticos convertendo-os ao republicanismo. As referências a esse respeito levam sempre a livros e, principalmente, a outros jovens "científicos" agrupados em associações e clubes de alunos da Escola Militar.

Pretendi mostrar — através da etnografia da Escola Militar da Praia Vermelha no período compreendido entre 1874 e 1889 — como se dava a socialização dos alunos e qual era o clima intelectual existente. Dessa descrição destacam-se a importância fundamental dos alunos mais antigos na socialização profissional e na formação intelectual dos novatos, bem como a concentração das interações sociais entre os próprios alunos. Deve ficar clara a enorme importância simbólica que o princípio do mérito e o cientificismo tinham para a construção da identidade social da "mocidade militar", definida tanto por oposição aos "tarimbeiros" do Exército quanto, principalmente, por oposição aos "bacharéis" civis. Finalmente, tornaram-se explícitas as ligações e a coerência entre esses elementos culturais e a ação social desenvolvida nas comemorações cívicas e nas sociedades abolicionistas. Em relação ao republicanismo da "mocidade militar", mais radical e anterior ao de outras parcelas do Exército, encontramos os mesmos elementos culturais: o mérito contra os privilégios, a ciência e o progresso contra a metafísica e o atraso, o futuro contra o passado. Tasso Fragoso, por exemplo, rememorando, décadas mais tarde, o que significava a "República" para a "mocidade militar" da qual fez parte, afirma: um regime político inspirado no interesse coletivo, com liberdade espiritual e onde "só os competentes fossem escolhidos para as funções sociais" (cf. Araripe, 1960:146). A república como a "aristocracia do mérito" aparece também num artigo do jovem Euclides da Cunha, de 1889: "O governo republicano — digamo-lo sem temor — é naturalmente aristocrático — os pergaminhos dessa nobreza, porém, ascendem numa continuidade admirável, das oficinas às academias. É o governo de todos por alguns — mas estes são fornecidos por todos" (Cunha, E., 1966, I:551).

Duas cartas de José Bevilacqua do início de 1886 — anteriores, notemos mais uma vez, à Questão Militar — são ainda mais claras a respeito do que se quis mostrar neste capítulo. Elas possuem os atrativos adicionais do sabor da época e da intimidade que apenas as cartas pessoais guardam. Em 29/1/1886, José Bevilacqua critica *en passant* as últimas eleições promovidas pelo governo, para em seguida afirmar, com radicalismo, certeza científica no futuro e visão do elevado papel que nele a "mocidade militar" desempenharia:

> Não faz mal; enquanto pior, melhor, porque mais acelerará a grande reação fatal, inevitável, que é onde nós, os moços, temos os olhos fitos. É dessa reação que o nosso país há de sair da espécie de entorpecimento em que dormita para a vida ativa e grandemente progressiva a que tem jus e cuja alvorada nós, os videntes de hoje, sonhamos já ter despontado em horizontes remotíssimos, mas que não tardará muito a mostrar-se brilhante, resplendente para ofuscar a geração de parasitas que, só alimentando seu cego egoísmo, deixa os interesses reais da Pátria correrem à revelia, contanto que o estômago, em que se transformaram, esteja sempre repleto...

Em 29/4/1886, José Bevilacqua escreve uma carta a sua mãe, procurando tranqüilizá-la do susto que tivera ao receber a notícia de que ele, agora alferes-aluno, em breve deixaria os alojamentos da Escola Militar para ir morar com colegas numa “república”. A forma pela qual o jovem “científico” de 23 anos desfaz esse mal-entendido é notável:

> Vm^{ce} não tem razão para sentir calafrios ante a palavra República; em primeiro lugar porque ela simboliza a forma de governo em que os direitos dos cidadãos são melhor definidos, porquanto não admitindo privilégios de famílias ou de classes, as leis igualam todos cidadãos e a única distinção é aquela que é oriunda do mérito e das virtudes individuais (...); demais ali tratava-se de uma casa de estudantes, que costuma-se designar por esse nome.

4
A QUESTÃO MILITAR

Foi com o espírito "científico" e republicano descrito no capítulo anterior que a "mocidade militar" participou ativamente da Questão Militar, nome dado a uma série de eventos iniciados em agosto de 1886 e que se prolongaram até maio de 1887.[1] Não se fará a seguir a descrição minuciosa de toda a Questão, apenas dos pontos relevantes para a compreensão dos personagens e grupos militares que estarão presentes no golpe de 1889.[2]

Em viagem de inspeção à província do Piauí em 1885, o coronel Cunha Matos, ligado ao Partido Liberal, registrou irregularidades administrativas cometidas pelo capitão comandante da Companhia de Infantaria daquela província, ligado ao Partido Conservador. Em junho de 1886, um deputado piauiense, amigo e correligionário do capitão, atacou, em discurso na Câmara, Cunha Matos, acusando-o de, prisioneiro dos paraguaios durante a guerra, ter dirigido a artilharia inimiga contra as tropas brasileiras. Cunha Matos reagiu violentamente através de artigos em jornal. O ministro da Guerra, deputado Alfredo Chaves, informou ao coronel que, de acordo com

---

1. A definição dos eventos compreendidos sob o rótulo "Questão Militar" não é consensual. Alguns autores recuam seu início a eventos isolados ocorridos na primeira metade da década de 1880. Entretanto, a maioria concorda que por Questão Militar *stricto sensu* se entendem os acontecimentos de 1886-1887. Ver Dudley (1972:342, nota 1).
2. Sobre a Questão Militar, baseei-me principalmente em Correia (1939:140-73), Doca (1939:19-73), Dudley (1972:381-422), Magalhães Jr. (1957:206-86), Monteiro, T. (1913:111-98), Moreira (1947:11-36), Schulz (1994:105-12) e Vianna (1933:129-208).

um aviso promulgado em 1859 e ainda em vigor, os oficiais estavam proibidos de discutir questões políticas ou militares na imprensa sem o consentimento prévio do ministro, e o mandou prender por dois dias.

Um amigo de Cunha Matos, o general e senador liberal pelo Rio Grande do Sul José Antônio Correia da Câmara, visconde de Pelotas, discursando no Senado no início de agosto de 1886, protestou contra o ato do ministro e afirmou que a ofensa sofrida por Cunha Matos fora uma ofensa a todos os oficiais do Exército. Pelotas disse que o ministro parecia julgar um membro da Câmara "superior dos oficiais do Exército" e afirmou que um coronel do Exército era, em regra, "um oficial cheio de serviços à Pátria, por ela tendo exposto mais de uma vez a sua vida, passando por todas as privações que traz a carreira militar". Pelotas colocou ainda em questão a aplicação do mencionado aviso de 1859, afirmando que ele se aplicava apenas à discussão na imprensa entre militares a respeito de assunto de serviço, e não, como era o caso, à utilização, por um oficial, do "imprescindível direito de desagravar-se" de um deputado que o havia "ferido em sua honra militar, no que tem o soldado de mais respeitável" (cf. Doca, 1939:25-6).

Pelotas dava, assim, um caráter mais geral à questão. Tratava-se não mais do caso específico da punição a um oficial, nem de disputas políticas entre liberais e conservadores, mas do direito de todos os oficiais de se defenderem quando atacados em sua *honra militar*. Embora a letra e a aplicação do aviso de 1859 e de outras disposições legais e regulamentares viessem a ser discutidas à exaustão nos meses que se seguiram, a questão da honra, dos "brios" e do "pundonor" dos militares sempre foi, para eles, o assunto realmente em pauta. Nas palavras de Pelotas — e futuramente nas de vários outros militares envolvidos na Questão — está ainda embutido um *ressentimento* para com os políticos, os quais, para os militares, se julgavam superiores aos oficiais do Exército, embora estes tivessem sido os que realmente se arriscaram pela Pátria, numa alusão à Guerra do Paraguai.

Ainda em agosto, outro incidente semelhante veio aguçar a questão. O tenente-coronel Sena Madureira, envolvido no incidente ocorrido na Escola de Tiro de Campo Grande em 1884, mencionado no capítulo anterior, estava agora comandando a Escola de Artilharia de Rio Pardo, no Rio Grande do Sul. Num aparte ao discurso de Pelotas acima referido, o senador Franco de Sá, ex-ministro da

Guerra que demitira em 1884 Sena Madureira do comando que ocupava, relembrou esta punição, afirmando que nenhum abuso então houvera e que ele poderia ter sido ainda mais rigoroso, já que Sena Madureira publicara artigos anônimos e injuriosos contra ele.

Em resposta, Sena Madureira publicou no jornal republicano gaúcho *A Federação*, de Júlio de Castilhos, uma carta na qual afirmava que os artigos que escrevera em 1884 apenas apontavam o erro do ministro, e concluía: "Poderia retaliar — mas não o faço — respondendo que nós, velhos soldados, nem sempre tomamos a sério os generais improvisados que perpassam rápida e obscuramente pelas altas regiões do poder" (cf. Doca, 1939:30). Começava o segundo *round* da Questão Militar.

No dia 2 de setembro, o ajudante-general do Exército, visconde da Gávea, enviou ao marechal Deodoro da Fonseca, comandante das Armas e presidente em exercício da província do Rio Grande do Sul, telegrama perguntando se havia concedido a Sena Madureira licença para publicar seu artigo. Deodoro respondeu no dia seguinte, por telegrama, que não, mas avisou que em ofício do mesmo dia trataria da questão. Neste ofício, só recebido vários dias mais tarde, afirmava que a legislação em vigor se referia à discussão pública apenas entre militares e que, portanto, Sena Madureira não cometera um ato passível de punição. O ministro Alfredo Chaves, todavia, não aguardou o recebimento do ofício de Deodoro, e puniu com uma repreensão o tenente-coronel Sena Madureira. Essa medida desagradou a Deodoro e, com isso, a questão passava a se configurar, cada vez mais, como uma Questão Militar — não casos isolados de disciplina nem de perseguições políticas, mas um confronto entre militares e governo.

Júlio de Castilhos, aproveitando-se da situação para atacar o regime monárquico, publicou, no dia 23, o artigo "Arbítrio e inépcia", onde afirmava que o Império estava ofendendo a honra do Exército, que simbolizava e dignificava a honra nacional. O próprio Sena Madureira, dois dias mais tarde, publicou novo artigo n'*A Federação*, protestando contra a ilegalidade do ato ministerial. No dia 30, Júlio de Castilhos publicava seu quarto artigo a respeito da Questão Militar, afirmando que ela não era um incidente pequeno, mas sim "uma questão de honra militar, de dignidade do Exército, e afeta diretamente os mais respeitáveis interesses morais da nossa Pátria". As Forças Armadas eram apresentadas como as únicas forças que se mantinham "impolutas" em meio à "Nação em ruínas" (cf. Doca, 1939:36-7).

No mesmo dia, oficiais da guarnição do Rio Grande pediram a Deodoro autorização, que foi concedida, para uma reunião destinada a homenagear Sena Madureira, delegando-lhe poderes para advogar "os interesses da classe militar". Esta reunião contou com a ativa participação dos alunos da Escola Militar do Rio Grande do Sul.

No dia 1º de outubro realizou-se na Escola Militar da Praia Vermelha uma reunião promovida pelos alunos, ficando decidido que eles manifestariam sua adesão ao procedimento dos colegas do Sul, por meio de telegramas a Sena Madureira e aos alunos da Escola Militar do Rio Grande, solidarizando-se e afirmando sua disposição de com eles assumir as responsabilidades que poderiam advir. Os promotores da reunião, "à vista do procedimento criminoso, foram presos", como informa ofício enviado ao ministro da Guerra pelo comandante da Escola Militar, o general Severiano da Fonseca, irmão de Deodoro (cf. Mota,1976:264, nota 79).

Estava, a esse tempo, configurada uma situação de confronto entre o governo e Deodoro, que, além de comandar uma importante província — em poderio militar, a mais importante —, contava com o apoio de grande número de oficiais. Para tentar acalmar os ânimos, o barão de Cotegipe, presidente do Conselho de Ministros, escreveu a Deodoro nos primeiros dias de outubro, apelando para que contivesse a indisciplina crescente. Este se manteve irredutível a respeito da correção com que se portavam os oficiais descontentes, afirmando:

> Se como presidente e comandante das Armas tenho deveres, como soldado ofendido pela ingratidão para com a classe, os tenho também, porque assim exige a disciplina, a moralidade e o brio do soldado que defende a Nação. Afianço a V. Excia. que há calma e afianço também que será uma desgraça a imposição legal com que se quer oprimir o Exército. Devo usar de clareza nesta comunicação. A corporação militar da província deposita em mim como seu intérprete suas justas queixas e pede o valimento de V. Excia. (cf. Moreira, 1947:13).

Deodoro assumia explicitamente a posição de intérprete dos oficiais ressentidos que estavam sob seu comando. Essa posição foi sacramentada no dia 4, durante missa que a oficialidade mandou rezar por ocasião do aniversário de falecimento de Osório. Na ocasião, o visconde de Pelotas, que como chefe do Partido Liberal no Rio Grande do Sul se opunha politicamente ao conservador Deodoro, disse-lhe, ao encontrá-lo na igreja: "Abraço o meu irmão de armas, pelo procedimento admirável e altamente honroso que tem tido na questão Madureira, que envolve o pundonor e honra do Exército. O procedimento de V. Excia. eleva-o muito alto na consideração dos nossos camaradas."[3] O espírito militar sobrepunha-se assim às divergências políticas: estava tomando forma a "classe militar".

No dia 8 de outubro, Cotegipe respondeu a Deodoro, em tom conciliatório, que, levando em consideração seu apelo, o governo acabara de solicitar ao Conselho Supremo Militar a apresentação, com urgência, de um projeto de instruções que revisse a legislação em vigor quanto à manifestação de militares pela imprensa. Esta ficava suspensa, exceto na parte referente a discussões entre militares sobre objeto de serviço. Cotegipe pediu ainda a Deodoro que fizesse cessar as reuniões coletivas de oficiais. Deodoro respondeu que estava "agradecido e satisfeito" com a solução.

No entanto, manifestações coletivas ainda ocorreram no Rio de Janeiro, contando sempre com a participação ativa de jovens oficiais e alunos da Escola Militar. No dia 9, 150 deles publicaram n'*O País* um protesto contra discursos do deputado Cândido de Oliveira e do senador Silveira Martins, este um desafeto pessoal de Deodoro.[4] Estes políticos haviam reprovado, em discursos pronunciados nos dias anteriores, a atitude dos militares envolvidos na Questão. O abaixo-assinado dizia que, ao atacar Deodoro, eles atacavam todo o Exército. Dentre os signatários, Lauro Müller, José Bevilacqua, Jaime Benévolo e Ximeno de Villeroy.

No dia 10, esses mesmos oficiais e alunos do Exército, acrescidos de alguns da Armada, reuniram-se na Sociedade Francesa de Ginástica, no Rio de Janeiro. A reunião foi presidida inicialmente por Benjamin Constant e, em seguida, pelo vice-almirante Artur Silveira da Mota, o barão de Jaceguai, que uma comissão foi buscar em casa. Possivelmente os militares presentes à reunião mandaram buscá-lo por não haver nenhum oficial superior da Marinha presente. Jaceguai, embora monarquista convicto, estava sem comando e magoado com o governo pela dissolução, menos de um ano antes,

3. *A Federação*, 5/10/1886.
4. Consta que na juventude disputaram o amor da mesma mulher.

da Esquadra de Evoluções, unidade de elite da qual fora o primeiro e único comandante. Mesmo não havendo nenhum relato minucioso dessa reunião, o mais provável é que Benjamin Constant também fosse o único, ou um dos poucos, oficiais superiores do Exército presente. Pelo elevado número de participantes, e nenhuma referência existente ao comparecimento de outros oficiais superiores, pode-se presumir que a quase totalidade dos presentes era composta de jovens oficiais ou alunos da Escola Militar, inaugurando um padrão de freqüência que será mantido posteriormente.

Essas suposições são reforçadas pelo relato de Ilha Moreira, então um jovem oficial servindo na Fortaleza de Santa Cruz. Ele afirma haver se encontrado casualmente com Benjamin Constant poucos dias antes da reunião na Sociedade Francesa de Ginástica, e que este lhe comunicou que, na reunião da Congregação da Escola Militar realizada naquele dia, tomara a resolução de colocar-se de acordo com os camaradas que pleiteavam a anulação das notas de repreensão a Cunha Matos e Sena Madureira. Segundo Ilha Moreira, esta fora "a primeira manifestação do Dr. Benjamin Constant em defesa do brio e da honra da classe armada". Ele dá ainda a informação importante de que Benjamin comparecera à reunião do dia 10 "a convite de alguns seus admiradores, seus camaradas" (Moreira, 1947:16-7). Acredito que tenha sido convidado por jovens oficiais ou alunos "científicos", não apenas por serem a maioria dos presentes à reunião, como pelo fato de que convites como esse viriam a se repetir.

Na reunião foi aprovada uma declaração proposta por Benjamin Constant em que os militares reunidos manifestavam "adesão completa ao modo digno por que os seus camaradas do Rio Grande do Sul reclamaram o restabelecimento de seus direitos" e, ao mesmo tempo, a satisfação com a solução dada pelo governo (cf. Constant Neto, 1940:48). Terminada a reunião, telegramas foram dirigidos a Deodoro e Pelotas por Jaceguai e por dois jovens oficiais "científicos", os tenentes José Vinhaes e Jaime Benévolo, comunicando o resultado da reunião. A 18 de outubro, o Conselho Supremo Militar apresentou as instruções solicitadas pelo governo, dando aos militares o direito de manifestarem suas idéias na imprensa sem a autorização prévia de seus superiores, desde que não se tratasse de assuntos de serviço entre militares. A 3 de novembro, o Imperador aprovou as novas instruções. Tudo parecia estar se encaminhando na direção do apaziguamento.

Mas a Questão Militar ainda estava longe de seu final. Cotegipe enviara a Deodoro, dia 1º de novembro, uma carta alertando-o do perigo que representavam reuniões de oficiais como a que Deodoro havia autorizado anteriormente, pois um "Exército deliberante" poderia voltar-se, futuramente, contra a liberdade civil da Nação. O consentimento e a aprovação de Deodoro, prossegue Cotegipe, "foram o rastilho de pólvora que ateou a chama a todos os pontos da Província e alguns do Império" (cf. Doca, 1939:45).

Deodoro respondeu reafirmando sua revolta contra os fatos ocorridos, que, no seu entender, humilhavam os militares, visando a longo prazo atingir "aquilo que é notório, que é sabido, desde muitos anos", numa alusão velada à extinção do Exército e sua substituição pela Guarda Nacional. Deodoro afirma que "se ainda vivesse Caxias", tais fatos não se dariam, e que, "se a sorte determinar o rebaixamento da classe militar, no dia em que eu desconfiar que à frente de soldados não passarei de um comandante superior da Guarda Nacional — especial — e simples vulto político, quebrarei minha espada, e envergonhado, irei procurar, como meio de vida e exemplo de muitos, uma cadeira de deputado, para também poder insultar a quem quer que seja" (cf. Doca, 1939:45-6).

Após essa carta, Cotegipe resolveu exonerar Deodoro das funções que exercia e transferi-lo para o Rio. A 22 de dezembro, Deodoro transmitiu a presidência da Província. Sena Madureira também pediu exoneração do comando que exercia e, no dia 8/1/1887, de passagem por Porto Alegre a caminho da Corte, ambos receberam homenagem dos colegas de farda, sendo conduzidos até a residência de Pelotas. A manifestação dos oficiais continuou pelas ruas, com Deodoro e Pelotas dando seus braços à esposa de Sena Madureira. Dois dias depois, Deodoro e Sena Madureira seguiram no mesmo navio para o Rio de Janeiro.

Nesse meio-tempo, uma nova questão surgiu, relativa às repreensões feitas a Cunha Matos e Sena Madureira. Embora as novas instruções revogassem as anteriores, com base nas quais os dois foram punidos, essas punições permaneciam nas fés-de-ofício desses dois oficiais. Esse seria o motivo para novo impasse entre os militares e o governo, e foi nesse clima que Deodoro e Sena Madureira chegaram ao Rio, em 26/1/1887. Cotegipe havia pedido ao general Severiano da Fonseca que impedisse os alunos da Escola Militar de comparecer ao desembarque. Estes, alertados na véspera de que o comandante pretendia fechar os portões da Escola no dia seguinte, saltaram os muros da Escola de madrugada e foram recebê-los, fardados (Cunha, J., 1927:98-100). Em nome dos alunos, falou o alferes-aluno Lauro Müller. O general Severiano, que também fora receber o irmão, retirou-se constrangido por não ter conseguido manter a disciplina na Escola. De volta à Praia Vermelha, pediu demissão do comando.

Ao transmitir o cargo no dia 1º de fevereiro, Severiano recebeu uma homenagem dos oficiais da Escola, bem como dos alunos. Em nome destes, Serzedelo Corrêa lamentou sua despedida, elogiando seu comando. Afirmou ainda que não houvera a intenção de desobedecer-lhe, e concluiu elogiando Deodoro, "a quem pelos seus sentimentos de honra e brio pode-se chamar, como Francisco I chamou a Bayard — *le chevalier sans peur et sans reproche*". Pelos lentes interinos, falou Benjamin Constant, que destacou os benefícios da administração de Severiano, fazendo suas as palavras de Serzedelo.[5]

No dia seguinte, a questão do trancamento das notas de repreensão foi o assunto principal de uma reunião realizada no Teatro Recreio Dramático, à qual compareceram Deodoro, Sena Madureira e Cunha Matos, além de Benjamin Constant e um "grande número de oficiais", como desde então a historiografia registra. Temos aqui um ponto importante e ilustrativo. Em geral, fala-se em "cerca de duzentos" oficiais, número estimado por um jornal no dia seguinte e desde então repetido.[6] Ora, duzentos oficiais seria um índice de comparecimento excepcional para a guarnição da Corte. Isso, no entanto, simplesmente não ocorreu, apesar da insistência com que cronistas e historiadores comprometidos em defender a República tenham representado os eventos da Questão Militar como uma espécie de rolo compressor mobilizando a "classe militar" em direção da Monarquia. Essa "classe militar", no entanto, nunca foi mais que uma parte minoritária da instituição militar. À reunião do Teatro Recreio Dramático, por exemplo, os generais não compareceram, bem como nenhum membro da Marinha; foram apenas mais um ou dois oficiais superiores, além dos já mencionados. A *Gazeta de Notícias* do dia 6 disse que a reunião "correu fria devido ao esgotamento do assunto e por ausência de *quorum* deliberante. Nenhum general compareceu. Dos 500 oficiais que existem na Corte, só um

5. *Gazeta de Notícias*, 2/2/1887.
6. Ver, por exemplo, Monteiro, T. (1913:137), Fleiuss (1925:420) e Schulz (1994:109).

número muito pequeno compareceu". Quem eram, então, esses "cerca de duzentos" militares que compareceram e aclamaram entusiasticamente Deodoro e os outros envolvidos na Questão Militar? A resposta mais próxima da realidade pode estar num artigo de jornal escrito em 1891 por Serzedelo Corrêa:

> A essa reunião compareceram os oficiais alunos, em número de 180, pouco mais ou menos. Apenas três oficiais superiores sem comando de forças lá foram. Eis a verdade. O marechal Deodoro bem viu com quem podia contar e seguramente conheceu por uma ou outra adesão particular feita em sua casa, que os generais, os comandantes e muitos dos que hoje o idolatram, lhe faltaram. S. Excia. não ocultou o seu desgosto e o seu desprezo para aqueles que não sabiam cumprir o seu dever (cf. Correia, 1939:156, nota 8).

Quem compareceu, portanto, e maciçamente, foi a "mocidade militar". Dos alunos da Escola Militar faltaram apenas, segundo *O País,* dois que estavam de serviço, dois que se achavam doentes e quatro subalternos alunos que faziam parte da administração (Magalhães Jr., 1957, I:244). Foi a "mocidade militar" que, fazendo questão de permanecer de pé durante a reunião, ouviu Deodoro submeter uma moção que afirmava que os oficiais presentes "não julgarão terminado com honra para a classe militar o conflito suscitado entre esta e o governo, enquanto perdurarem os efeitos dos avisos" e dava a ele plenos poderes para representá-los junto ao Imperador no sentido de conseguir uma solução completa do conflito, digna do governo e da classe militar. Em seguida, Benjamin Constant pronunciou um discurso moderado, fazendo voto de adesão à moção e afirmando que, embora a anulação dos avisos tivesse sido honrosa tanto ao governo quanto ao Exército, este só poderia dar a Questão por encerrada quando as fés-de-ofício dos dois oficiais fossem limpas pelo governo. No entanto, "para que de modo algum parecesse imposição ao governo, o que seria além de insensato, impróprio da classe militar que tantas e tão brilhantes provas tem dado de disciplina e patriotismo, dirige-se de novo ao governo imperial por um de seus órgãos mais eminentes, o general Deodoro, pedindo respeitosamente o complemento daquele seu respeitável ato".[7]

Aprovada a moção e encerrada a reunião, no dia 5 Deodoro foi visitar o Imperador e entregou-lhe uma carta na qual criticava

---

7. BC, REP/Magalhães, BC 8870202.

violentamente as punições infringidas pelo governo a Cunha Matos e Sena Madureira, bem como os ataques que eles sofreram de membros do Parlamento: "Senhor, só quem não for soldado, só quem não tiver ou não compreender a menor noção do brio e dignidade militar, só quem julgar que a farda do soldado é libré do servilismo e da baixeza, poderá ver, sem corar de vergonha, sem estremecer de indignação, um tal procedimento, que já não é um desacato da autoridade, mas um insulto à classe militar" (cf. Doca, 1939:51-3). Deodoro utiliza ainda em sua carta, além de "brios" e "dignidade", as palavras "honra", "pundonor" e "hombridade", referindo-se aos sentimentos do Exército que foram ofendidos. Termina pedindo ao Imperador, em nome do Exército e "com o mais profundo respeito", que resolva a questão. Passada uma semana sem resposta, Deodoro escreveu novamente no dia 12, pedindo que o Imperador atendesse aos anseios dos militares e alertando-o de que o ministério, "pelo menos nesta causa", o atraiçoava.

No mesmo dia, o ministro da Guerra Alfredo Chaves propôs a reforma de Deodoro, o que, não sendo aceito pelo Imperador, o levou a pedir demissão. O novo ministro, Joaquim Delfino Ribeiro da Luz, comunicou que as notas seriam canceladas, tão logo os atingidos o solicitassem. Deodoro, com isso, deu por encerrada a Questão Militar, escrevendo a um oficial amigo do Rio Grande do Sul, no dia 23 de fevereiro: "Melhor resultado não poderíamos ter — a queda do ministro da Guerra. Mais do que isso só surra de bacalhau. Se caísse todo o ministério, poderiam atribuir a muitas causas, ao passo que a queda somente do ministro da Guerra é bem significativa. Está, portanto, terminada a Questão Militar com honra e dignidade para a classe, e nada mais há que fazer" (cf. Correia, 1939:162).

No dia 27, Pelotas escreve a Deodoro elogiando seu procedimento na Questão Militar e o modo pacífico e conforme à lei que usou para demonstrar ao governo o "desgosto" que sentia o Exército pelos atos do ministro Alfredo Chaves, que esquecera que o Exército "não teme a severa disciplina", mas tem o direito de exigir "que o não desprezem nem o aviltem" (cf. Correia, 1939:162).

Apesar de Deodoro e Pelotas darem a Questão por encerrada, o ânimo dos jovens oficiais republicanos era diferente. Pouco antes, oficiais da Fortaleza de Santa Cruz haviam decidido comunicar ao visconde de Pelotas que "não assinariam mais nenhuma petição ou representação dirigida ao Governo Imperial, partidários, como eram, de solução mais radical para o conflito". Ximeno de Villeroy, um tenente "científico" de 24 anos que lá servia, diz que esses oficiais — um major, dois capitães e cinco tenentes — eram "francamente republicanos", restando, de monarquistas, o coronel comandante e três ou quatro oficiais neutros (1928:99-100). No dia 28, o alferes-aluno José Bevilacqua escreveu uma carta a seus pais historiando a Questão Militar que terminava dizendo que "as ameaças chovem de todos os lados e esse governo podre e indigno seguro ao poder como ostras à pedra: de modo que é possível que não nos saiamos bem desta infeliz alhada".

Para a "mocidade militar", portanto, a Questão Militar não estava encerrada, ao contrário do que Deodoro e Pelotas pensavam na mesma ocasião. A Questão realmente se prolongaria, pois Sena Madureira e Cunha Matos se negaram terminantemente a solicitar o trancamento das notas, afirmando que cabia ao governo admitir seu erro, cancelando, *ex-officio*, as repreensões. Nessa ocasião, segundo o depoimento de Cunha Matos, os dois foram censurados por Benjamin Constant, que lhes disse: "Os senhores são uns turbulentos que querem fazer a República; devem requerer o trancamento das notas". Madureira respondeu com veemência, concluindo: "Cortem-me a mão, mas não requeiro" (cf. Monteiro, T., 1913: 140-1).

Deodoro, a princípio relutante, acabou cedendo ao apelo de Serzedelo Corrêa e outros militares, além de parentes,[8] e voltou atrás em sua posição de dar a Questão como encerrada. Autorizou uma nota publicada n'*O País* do dia 10 de março, em que afirmava manter a mesma postura expressa nas cartas que enviara ao Imperador, e continuava aguardando o desfecho da Questão. Por aqueles dias, escrevera a um amigo: "A queda do Chaves me levou a crer que a questão terminasse. O tio João [barão de Cotegipe], porém, depois de encolher-se, aparece com perseguições, supondo que estamos em debandada. Fui à imprensa, *O País*, com uma declaração de que continuamos na mesma atitude e hoje escrevo ao Pelotas para que faça aí uma reunião presidida por ele, aderindo ao procedimento que aqui tivemos" (cf. Correia, 1939:166-7).

As perseguições a que Deodoro se refere seriam a proibição velada da comunicação telegráfica entre militares e a transferência

---

8. A informação é de Serzedelo Corrêa (cf. Correia, 1939:167-8, nota 14). É possível que os parentes fossem os jovens oficiais Hermes e Clodoaldo da Fonseca, sobrinhos de Deodoro.

de 50 alferes-alunos da Escola Militar que compareceram ao desembarque de Deodoro e Sena Madureira no Rio para estagiar por um ano na Escola de Tiro do Realengo. Este estágio era obrigatório apenas para os oficiais "simplificados" na Escola Militar, isto é, aqueles não aprovados plenamente e que, portanto, não podiam prosseguir na parte "científica" do curso. Estendendo essa obrigação aos alunos do curso superior, o governo punia os alferes-alunos por sua ativa participação política, atrasando seu curso de engenharia e afastando-os por um ano do centro da cidade.

Em abril, Pelotas seguiu para o Rio. Antes, escreveu para Deodoro apoiando suas atitudes: "Se a maioria dos oficiais dessa guarnição não se quiserem pronunciar acompanhando-o, que sofram então as conseqüências da sua fraqueza, ficando assim provado que merecem bem o desprezo com que os vê o governo. Penso que, tendo-se dado o primeiro passo, não se pode mais recuar, nem parar, sob pena de ficar o Exército em posição fraca e humilhante, que terá como conseqüência inevitável o seu completo desprestígio" (cf. Correia, 1939:168-9).

Em 14/5/1887, Pelotas e Deodoro assinaram o manifesto "Ao Parlamento e à Nação", em que reafirmavam não poderem compactuar com uma posição "que nos ludibria, arrancando-nos a dignidade de cidadãos armados, para não nos deixar mais que a subserviência dos janízaros" (cf. Doca, 1939:61) — alusão ao exército de escravos dos sultões do Império Otomano. Segundo uma fonte, por esta época Serzedelo Corrêa encontrou-se com os republicanos Campos Sales e Aristides Lobo, que lhe pediram para interceder junto ao visconde de Pelotas no sentido de mostrar a conveniência de se proclamar já a República. A idéia, no entanto, não encontrou receptividade da parte de Pelotas (Monteiro, T., 1913: 144). No dia 16, realizou-se uma reunião nos aposentos de Pelotas no *Grande Hotel*, à qual compareceram Deodoro, Sena Madureira, Benjamin Constant, seu irmão Marciano, Serzedelo Corrêa como representante da Escola Militar e um representante de cada um dos corpos da guarnição da Corte. Serzedelo disse que a Escola Militar seria vanguarda numa possível revolução.[9] Pelotas, no entanto, preferiu a negociação parlamentar. O impasse foi resolvido no dia 20 de

9. Essa reunião foi registrada por dois participantes: Moreira (1947:26-7) e Serzedelo Corrêa (cf. Monteiro, T., 1913: 145-8).

maio, quando o Senado se articulou no sentido de aprovar uma moção que "convidava" o governo a realizar o trancamento das notas. Estava encerrada a Questão Militar.

O princípio organizador de todo esse *drama social* — acontecimento que revela conflitos latentes — foi uma relação estruturalmente ambígua e conflituosa entre militares e civis. A profissionalização e a burocratização dos exércitos modernos levaram, através da relativa autonomização da instituição militar em relação à sociedade, ao surgimento de "questões" no relacionamento entre civis e militares. Elas estão presentes, em maior ou menor número e grau, na história de todos os países. Através de conflitos políticos e oposições simbólicas com os civis, a instituição militar de cada país desenvolveu um *ethos* específico, embora mantendo elementos comuns a todos os países.

No Brasil, a Questão Militar foi um momento-chave desse processo. Pela primeira vez na história brasileira, grupos de militares afirmaram publicamente e com força a existência de uma "classe militar" opondo-se a atos do governo. A questão da "honra", tão acionada pelos militares, revela as contradições de *status* que eles acreditavam viver no Império: louvados em um plano por sua honra social específica — o sacrifício nos campos de batalha —, discriminados e inferiorizados em outro — a vida normal, cotidiana — através da pouca importância atribuída pelo governo à instituição.

Falei em "grupos de militares" porque a Questão Militar não mobilizou toda a instituição, nem mesmo sua maioria: houve uma união conjuntural de grupos de militares que possuíam perfis e interesses distintos. Observe-se a ausência de participação da Marinha, o fato de que as principais adesões ficaram restritas à guarnição do Rio Grande do Sul e a ausência quase total de oficiais superiores — para não falarmos de oficiais-generais — nas manifestações que ocorreram. No entanto, os militares que participaram da Questão, conscientemente ou não, foram felizes ao conseguir vinculá-la a um *ressentimento* contra os civis em geral, os políticos em particular, e ao monopolizarem elementos simbólicos extremamente importantes para o *ethos* militar, como "honra", "brios" e "pundonor". Com isso, se não conseguiram mobilizar todo o Exército, ao menos neutralizaram possíveis reações contrárias dentro da corporação, deixando o governo sem cobertura na área militar e vencido na batalha simbólica pela definição daquilo que estava em jogo. Como resultado, eventos que podiam ser lidos e tratados como casos de indisciplina e insubmissão ao poder civil transformaram-se em episódios de defesa contra a humilhação e a afronta do governo ao que haveria de mais caro à "classe militar". Com isso, se apenas uma parte do Exército se mobilizou efetivamente, muitos oficiais leais ao governo passaram a ver com simpatia, embora à distância, o desenrolar dos acontecimentos.

Foi desastroso para o governo, em primeiro lugar, deixar-se envolver numa questão contra dois generais de renome no Exército e ligados à poderosa guarnição da província do Rio Grande do Sul: Deodoro, que acumulava o governo e o comando das Armas da província, e Câmara, o visconde de Pelotas, agora senador.

Manuel Deodoro da Fonseca vinha de uma família essencialmente militar.[10] Seu pai ingressara no Exército em 1806 como praça de infantaria, galgando aos poucos todos os postos subalternos da carreira. Com a Independência, foi promovido a alferes e transferido para Alagoas. Nessa província nasceram, entre 1824 e 1839, nove de seus dez filhos, oito homens e duas mulheres. O pai de Deodoro passou a se envolver cada vez mais com a vida política, ao lado dos conservadores. Foi eleito vereador na capital da província e exerceu outras funções políticas, como as de juiz de paz e chefe de Polícia. Em 1839, envolveu-se em uma insurreição fracassada contra o presidente da província, sendo obrigado a fugir para Sergipe, deixando em Alagoas esposa e filhos. O mais velho, Hermes, tinha quinze anos; Deodoro tinha doze. De Sergipe, o pai de Deodoro seguiu para a Corte, sendo preso por alguns meses. Anistiado e de volta a Alagoas, foi reintegrado em seu posto em 1840. Estava, entretanto, definitivamente incompatibilizado com a política local, e em 1842 transferiu-se com quase toda a família para a Corte. Ainda em 1842, encerrou sua carreira militar com a passagem para a reserva de 3ª classe do Exército no posto de tenente-coronel. Terminou a vida endividado, perseguido por credores e recebendo um pequeno auxílio em dinheiro dos filhos que já serviam ao Exército. Num apelo patético enviado em 1854 ao Imperador, ele suplicou a concessão

10. Para a biografia de Deodoro, ver Correia (1939) e Magalhães Jr. (1957).

de um auxílio que permitisse saldar suas dívidas e evitar a interrupção dos estudos de seus três filhos mais jovens: "Minha família, coitada, sempre mantida pelo apertado repuxo, já não de justas economias, mas de dolorosas misérias, nunca comeu mais do que o necessário para não morrer de fome, nunca trajou luxo, ainda não viu as paredes internas de um teatro, nunca foi mesmo a um baile dos muitos concorridos nesta Corte, onde vivemos há quinze anos, em nímio rigor da vida" (cf. Magalhães Jr., 1957, I:21).

Não sabemos se a súplica foi atendida. Manuel Mendes da Fonseca morreu em 1859, quando Deodoro tinha 32 anos e, como seus irmãos Hermes e Severiano, era capitão. Três outros irmãos de Deodoro estavam engajados no Exército, e um quarto fazia os estudos necessários para ingressar, pouco depois, na carreira militar. Um único irmão não se tornara militar.

O ingresso de Deodoro e dos irmãos na carreira militar, além da provável vocação, deveu-se também, sem dúvida, ao fato de que ela os emancipava financeiramente. Deodoro, que nascera em 5/8/1827, entrou em 1843 para a Escola Militar. Seguia o exemplo dos dois irmãos mais velhos, já nas fileiras, sem meios para estudar em escolas civis. Após terminar o curso de artilharia, Deodoro teve seu batismo de fogo em Pernambuco em 1849, ao combater a rebelião Praieira. Depois, sua vida militar passou por um período de repetidas indisciplinas, pelas quais foi preso diversas vezes, sempre por problemas com seus superiores imediatos. Transferido para a Corte em 1854, foi promovido a capitão no final de 1856. Desde então, até 1864, serviu em diversos estados e teve uma carreira militar rotineira, coincidindo com o período mais tranqüilo da vida do Império. Casou-se em 1860 com Mariana, órfã de um capitão do Exército.

Em fins de 1864, Deodoro, então com 37 anos, partiu num dos batalhões que formaram a Brigada Expedicionária despachada da Corte para o Rio da Prata, participando, no início do ano seguinte, do cerco de Montevidéu. Quando partiu do Brasil, é possível que Deodoro se imaginasse demorando apenas algumas semanas, alguns meses no máximo. Ele só voltaria, no entanto, seis anos mais tarde: a Guerra do Paraguai começou e ele foi imediatamente incorporado às forças em operação contra Solano López. Foi a grande experiência militar não só de sua vida, como de sua família e de toda uma geração. Todos os irmãos homens de Deodoro, exceto um, reformado por problemas de saúde, partiram para a guerra, onde três morreram. Na guerra, Deodoro foi promovido a major, tenente-coronel e coronel, sempre por atos de bravura, e foi ferido na batalha de Itororó. Embarcou de volta ao Brasil em meados de 1870.

Promovido a brigadeiro em 1874, Deodoro serviu em diversas regiões do país. Em 1883, foi nomeado comandante das Armas da Província do Rio Grande do Sul, onde se demorou poucos meses; em 1884, foi promovido a marechal-de-campo, antepenúltimo posto da carreira; em 1885, foi nomeado quartel-mestre general. Em fins deste ano, assumiu pela segunda vez o comando das Armas do Rio Grande do Sul, nomeado pelo novo ministério conservador, chefiado pelo barão de Cotegipe. O comandante das Armas era o chefe militar da província, responsável tanto pelas forças de terra quanto de mar; era, no entanto, subordinado ao presidente da província, Henrique Pereira de Lucena, futuro barão de Lucena, de quem Deodoro se tornou amigo. Por sua insistência, Deodoro aceitou que Cotegipe o nomeasse primeiro vice-presidente da província, sem prejuízo de seu posto de comandante das Armas. Este foi seu primeiro cargo político. Quando Lucena deixou Porto Alegre como deputado em 1886, no início da nova sessão legislativa, Deodoro passou a exercer a presidência interina da província. Estava nessa função quando surgiu a Questão Militar.

O homem que administrava e comandava militarmente a guarnição mais poderosa do país era, pois, antes de mais nada, um militar que ascendera no Exército em grande parte devido às suas qualidades guerreiras, demonstradas diversas vezes nos campos de batalha. Sua posição durante toda a Questão Militar foi a de um *troupier* cuja vida se manteve vinculada ao Exército, que estaria sendo ameaçado pelos políticos — ou “casacas”, como costumava dizer.

A mesma posição manifestara outro veterano do Paraguai, o visconde de Pelotas, ao defender Cunha Matos no Senado, afirmando que os oficiais do Exército expunham suas vidas pela Pátria, por ela suportando todas as privações da carreira militar. Nascido em 1824, Pelotas era o último dos grandes generais da Guerra do Paraguai vivos quando veio a Questão Militar.[11] Fora comandante das tropas que conseguiram a vitória final sobre López em Cerro Corá. Por sua atuação na guerra, recebeu o título de visconde. Foi

---

11. Para a biografia de Pelotas, ver Câmara (1964).

nomeado senador em 1880 e ministro da Guerra em 1880-1881. No decorrer da Questão Militar, Pelotas deixaria de lado as diferenças políticas com Deodoro, para colocar-se ao lado do "colega de farda" — um exemplo de que a profissionalização da carreira militar já podia levar a tomadas de posição baseadas acima de tudo na identificação comum com a profissão. Juntos, lamentariam não haver mais caxias e osórios para defender a classe.[12]

Deodoro e Pelotas são oficiais da *prewar generation*, seguindo a classificação de Dudley. No entanto, suas posições em defesa da honra militar foram partilhadas por alguns oficiais de patentes intermediárias, pertencentes à *war generation*, da qual faziam parte Cunha Matos, Sena Madureira e Benjamin Constant. Como vimos no capítulo 1, os militares dessa geração participaram da Guerra do Paraguai como oficiais subalternos. Durante os dezesseis anos entre o final da guerra e a Questão Militar, esses oficiais, em geral, sofreram com promoções lentas, falta de aumento dos vencimentos e o reduzido orçamento destinado ao Exército.

A esse quadro pouco animador devemos acrescentar a falta de interesse político dos sucessivos governos que se seguiram à guerra em implementar medidas de modernização do Exército. Entre 1870 e 1889, várias iniciativas de reforma e modernização do Exército fracassaram.[13] Em 1871, por exemplo, foi criado um Instituto Militar por um grupo de 40 oficiais, a grande maioria dos "corpos científicos". Destinava-se a estudar questões que conduzissem à melhoria da classe militar. Entre os membros, alguns estariam no alto-comando do Exército ao final do Império, como Floriano Peixoto, Severiano da Fonseca, José Clarindo de Queirós, José de Almeida Barreto e José Simeão de Oliveira. Sena Madureira também aparece entre os fundadores. A presidência foi oferecida ao conde d'Eu. O Conselho de Estado, no entanto, deu parecer — assinado também por Caxias — de que o Instituto, embora formado por oficiais de valor, constituía, por permitir o contato informal entre oficiais de níveis hierárquicos distintos e a eventual introdução de idéias políticas, uma ameaça potencial à disciplina. Dessa forma, o Instituto desapareceu.

---

12. No curto período 1875-1880 o Exército perdeu chefes importantes como Caxias, Osório, Porto Alegre e Polidoro.
13. Dudley (1972, caps. 3-4) e Schulz (1994, cap. 4) tratam extensamente dessas iniciativas.

Um exemplo importante de oficial "reformista" foi Sena Madureira.[14] Ele estava na Europa em missão oficial quando estourou a Guerra do Paraguai. Voltou para lutar e, após o final da guerra, passou três anos como adido militar em Berlim. Na Europa, pôde estudar os exércitos das maiores potências, passando a defender a imitação, pelo Brasil, da estrutura militar dos exércitos europeus mais avançados, a começar pela adoção do sistema prussiano de recrutamento. Deve-se notar que, no mesmo ano da publicação de seu livro *A organização militar dos estados europeus* (1874), foi aprovada no Brasil a lei do sorteio militar — que, no entanto, para frustração de todos os oficiais "reformistas", nunca foi implementada. No espírito da idéia de "Nação em Armas", então em crescente voga na Europa, Sena Madureira via o Exército como um "microcosmo da Nação", no qual todas as classes deveriam conviver e se unir. Outras mudanças seriam a adoção de princípios táticos modernos, a abolição da Guarda Nacional e a reforma da Justiça Militar. Ao final do livro, deixa claro que ainda era monarquista, atacando os republicanos, "utópicos", em vista do estado presente da sociedade brasileira e afirmando que não havia lugar para pensamentos frívolos como esses no Brasil, especialmente numa era de "positivismo".

Na década de 1880, os jornais *O Soldado* e *Tribuna Militar* (1881-1882) e a *Revista Militar Brasileira* (1882-1888) também fizeram forte defesa da modernização militar.[15] Dudley menciona tais iniciativas como parte de um movimento de reforma e reorganização do Exército brasileiro. O termo "movimento" é exagerado: as iniciativas eram isoladas, sem continuidade, e seus promotores não eram os mesmos. São muito pertinentes, no entanto, as observações de Dudley a respeito de como os oficiais envolvidos nessas iniciativas reformistas são distintos — em termos ideológicos e de orientação profissional — dos militares que tomaram parte no movimento conspiratório que levou ao golpe de 1889. Apenas um ou outro oficial do "*reform-oriented group*" será encontrado entre o "*radical*

---

14. Antônio de Sena Madureira nasceu na Bahia em 1841. Após iniciar o curso da Escola Naval, transferiu-se para a Escola Militar da Praia Vermelha em 1858, onde completou o curso de estado-maior. Durante a guerra, apesar de atuar com distinção em diversas comissões, foi preso por um mês por desobedecer ordens de um oficial superior.

15. Sobre esses jornais, ver Dudley (1972, cap. 7) e Schulz (1994:88-93).

group" de 1889. O fracasso do movimento reformista abriu espaço, especialmente após a Questão Militar de 1886-1887, ao movimento radical da "mocidade militar". Surgirão um novo espaço institucional — o Clube Militar — e um novo líder — Benjamin Constant.

5
O Dr. Benjamin

A Questão Militar marcou também o surgimento, na cena política, do então major Benjamin Constant. A reunião de 10/10/1886 na Sociedade Francesa de Ginástica, no Rio de Janeiro, para discutir a Questão Militar, foi o primeiro encontro, em espaço público e fora das salas de aula, da "mocidade militar" com o "Dr. Benjamin", como era chamado por seus alunos. Esse encontro terá importantes desdobramentos. A partir do final de 1886, a biografia de Benjamin Constant não pode ser desvinculada de sua relação com a "mocidade militar". É no "Dr. Benjamin" que os jovens oficiais "científicos" irão se fixar na busca por um líder da conspiração republicana.

O objetivo do resumo biográfico de Benjamin Constant que se segue é tão-somente destacar alguns pontos de sua biografia relevantes para a compreensão sociológica das razões pelas quais pôde vir a desempenhar esse papel. Não se pretende, é importante deixar claro, traçar seu perfil psicológico. Serão destacados e enfatizados alguns dados e eventos que, embora possam ter sido assinalados pelos biógrafos de Benjamin Constant, não receberam a ênfase que lhes dou; da mesma forma, outros serão relegados a segundo plano. Além disso, a utilização de documentos de seu arquivo permitirá incorporar elementos novos. O quadro final será, creio, razoavelmente original.[1]

---

1. A fonte principal para a reconstituição da história de vida de Benjamin Constant foi seu arquivo pessoal. Utilizei-me também de diversas biografias, principalmente Constant Neto (1940), Macedo (1971), Mendes (1913) e Lins (1936). Consultei ainda trabalhos de menor porte como Araújo (1891), Castro, A. (1907) e Sodré, L. (1903; 1915).

Benjamin Constant Botelho de Magalhães nasceu numa localidade próxima a Niterói (RJ) em 9 de fevereiro de 1837,[2] sendo o primeiro dos cinco filhos de um tenente do Corpo de Artilharia da Marinha portuguesa — o equivalente, hoje, do Corpo de Fuzileiros Navais. Seu pai veio transferido para o Brasil no início de 1822, permaneceu no Exército Brasileiro após a Independência e casou-se em 1835 com uma brasileira. O nome dado ao filho era uma homenagem ao constitucionalista e liberal francês.

Desde 1833, o pai de Benjamin Constant abandonara o serviço militar ativo, passando para a "classe dos avulsos". Quando Benjamin nasceu, dirigia uma escola particular em Niterói, onde ensinava "primeiras letras". A família vivia com escassos recursos, razão pela qual mudou de cidade diversas vezes, sempre em busca de melhores oportunidades. Moraram em Macaé, Magé e Petrópolis, antes de o pai passar a administrar uma fazenda do barão de Lage em Minas Gerais. Nessa fazenda, morreu de tifo, em 1849.

Essa morte foi uma catástrofe para a família. A mãe de Benjamin Constant teve então a primeira manifestação de uma "crise cerebral" que a conduziria à loucura. O jovem Benjamin, com 12 anos, desesperado, tentou o suicídio jogando-se num ribeirão da fazenda, sendo salvo por uma escrava. Desde então, Benjamin passou a comemorar seu aniversário no dia 18 de outubro, data de seu "segundo nascimento". Num poema escrito aos 17 anos, intitulado "Saudades da Infância", está registrado o sofrimento pela perda do pai.

> Mas hoje sou triste órfão,
> Só conheço luto e dores,
> Perdi meu pai, perdi tudo,
> Murcharam todas as flores.

Após a morte do marido, a mãe de Benjamin Constant mudouse com os filhos para a Corte, passando a costurar para sobreviver e dependendo do auxílio de uma amiga, que lhe pagava o aluguel. Atendendo a pedidos de sua mãe, Benjamin foi procurar um conhecido de seu pai, que lhe ofereceu um lugar de servente de pedreiro. Chocado, Benjamin prontamente recusou a oferta, pois — conforme depoimento posterior de sua viúva — "sentia-se com

---

2. Esta é a data provável, pois a certidão de batismo informa apenas que Benjamin Constant foi batizado em 26/03/1837, com a idade de 45 dias (BC, DP 8700224).

capacidades e força de prestar a seu país mais alguns serviços do que os que pode prestar um simples oficial de pedreiro" (cf. Mendes, 1913, II: 329). Em seguida, conseguiu ser admitido em aulas mantidas pelos frades do Mosteiro de São Bento, capacitando-se para, em 28/2/1852, matricular-se na Escola Militar. Um mês mais tarde, assentou praça no Exército, para habilitar-se a receber um soldo durante os estudos.

O início do curso foi muito ruim, e Benjamin foi reprovado no 1º ano. Depois recuperou-se e, mesmo não tendo um desempenho brilhante, foi capaz de atuar, a partir de 1855, como explicador particular de matemática elementar aos alunos do 1º ano. Na mesma época, recebeu o título de alferes-aluno. A satisfação com essa promoção, alcançada exclusivamente por mérito pessoal, ficou patente na primeira atitude tomada pelo alferes-aluno Benjamin Constant. Segundo o depoimento de sua viúva, ele foi procurar, fardado com as novas divisas, a pessoa que lhe havia, anos antes, oferecido a ocupação de servente de pedreiro, "a quem disse que ia cumprimentá-lo e dizer-lhe que era oficial do Exército, o que julgava um pouco melhor do que ser simples oficial de pedreiro, e o que mais estimava ainda era não ter ele em nada concorrido para isso" (cf. Mendes, 1913,II:329).

Antes de completar 20 anos, Benjamin Constant trazia em sua biografia, por um lado, a marca da ausência de recursos herdados, incluindo passagens trágicas como a morte do pai, a loucura da mãe e uma tentativa de suicídio; por outro lado, a experiência da ascensão social por mérito. Em diversas ocasiões, ele destacará esses atributos, essenciais para a compreensão sociológica de sua história de vida, principalmente levando-se em consideração que um dos operadores sociais de maior alcance na sociedade da época era a transmissão de capital social através das relações de parentesco.

Em 1858, durante o curso na Escola Militar, Benjamin Constant foi protagonista de incidente ocorrido durante uma formatura de alunos. O comandante da Escola, em ordem-do-dia, levantou suspeitas contra os alunos a propósito de um roubo que ocorrera. Benjamin saiu de forma, interrompeu o ajudante que lia o boletim, tirou-o de suas mãos e, após jogá-lo no chão e pisá-lo, protestou: "Esta ordem-do-dia não há de ser lida, pois é um insulto aos alunos!" (cf. Mendes, 1913, I:59-60). Por causa desse episódio, passou alguns dias preso na Fortaleza de Santa Cruz, onde recebeu visitas de solidariedade de vários colegas e mesmo de professores.

Essa punição não afetou sua carreira, e em dezembro de 1860 Benjamin Constant concluiu o curso da Escola Militar, recebeu o título de bacharel em matemáticas e ciências físicas e, pouco depois, foi promovido a tenente. Nos anos que se seguiram, ficaram claros seu afastamento da carreira militar, sua dedicação ao magistério como professor de matemática e as frustrações e decepções que sofreu. Apesar de sua competência intelectual, faltava a Benjamin Constant *background* social.

Ainda antes de concluir o curso, em julho de 1860, prestara concurso para repetidor de matemáticas do Imperial Colégio Pedro II. Competindo com quatro bacharéis, foi classificado em 1º lugar; no entanto, foi nomeado o 2º colocado. Sobre esse concurso, Benjamin Constant escreve, em 1879, numa longa carta ao presidente do Conselho de Ministros sobre suas dificuldades no magistério: "Cumpre acrescentar que fui eu o argüente do Dr. Rego Macedo [o nomeado], que propus-lhe, como havia prometido antes de começarem as provas, exatamente as mesmas questões dirigidas por ele a um outro candidato (...) e que apesar disso, o Dr. Rego Macedo saiu-se muito mal, revelando incompetência para exercer o lugar" (cf. Constant Neto, 1940:21).

Benjamin Constant iniciou em 1861 o curso de engenharia civil na Escola Central, mas logo o abandonou. Isso provavelmente ocorreu porque desde fevereiro de 1861 estava ocupando interinamente a posição que disputara no Colégio Pedro II, substituindo provisoriamente o nomeado, que conseguira licença para viajar à Europa (até julho de 1863). Em novembro de 1861, Benjamin foi nomeado praticante no Observatório Astronômico, então parte da Escola Central. Essa posição, teoricamente uma comissão militar, era na prática um recurso que permitia que ele se devotasse completamente ao magistério.

Em 1862, Benjamin Constant foi nomeado lente de matemática e ciências naturais do Imperial Instituto dos Meninos Cegos (que hoje leva o seu nome), casando-se no ano seguinte com a filha do diretor, Maria Joaquina, sua mulher por toda a vida. Ainda em 1862, concorreu à cadeira de matemática da Escola Normal da Província do Rio de Janeiro, tendo sido classificado em 1º lugar. No entanto, na carta de 1879 já mencionada, diz que o presidente da província, desejando favorecer o 2º colocado, criou dificuldades para sua nomeação, exigindo sua demissão do Exército. No dia seguinte, Benjamin Constant dirigiu um requerimento ao ministro da Guerra pedindo sua demissão. Como mesmo assim o presidente da província continuasse a criar obstáculos, ele resolveu desistir da nomeação e enviar um segundo requerimento ao ministro, desistindo da demissão do Exército, "requerimento que, felizmente ou infelizmente para mim, não sei ainda como julgue, chegou a tempo de sustar a marcha do primeiro" — escreve em 1879 (cf. Constant Neto, 1940:24).

Mais uma vez, portanto, Benjamin Constant via o 2º colocado nomeado em seu lugar. Essas dificuldades para obter uma boa posição no magistério surgem apesar de Benjamin Constant possuir nessa época prestígio como professor de matemática. Sinal disso é o fato de ter sido convidado pelo Imperador para lecionar matemática para suas filhas. O lugar não foi aceito, ao que parece por intrigas feitas pelo portador do convite, que desejava o lugar para um parente (Mendes, 1913, I:230). Novo concurso em 1863, desta vez para o Instituto Comercial. Benjamin Constant é classificado em 1º lugar e finalmente nomeado. Essa posição, todavia, não era de muito prestígio nem recursos.

Começa a Guerra do Paraguai. No início de 1866, Benjamin Constant foi promovido a capitão e, em agosto do mesmo ano, recebeu ordem para juntar-se ao 1º Corpo do Exército em operações contra o Paraguai. A partida ocorreu no início de setembro, e junto com Benjamin foi seu irmão mais novo, Marciano. Ele deixava para trás a família, a carreira no magistério e a mãe internada num hospício.[3] A caminho da guerra, ainda do navio, escreveu à mulher que, apesar das saudades que sentia da família, era preciso "não me deixar dominar por elas, curvar a cabeça à sorte que nunca me quis ser favorável e seguir o caminho que a honra e o dever me apontam. Tenho porém esperanças de que em breve estarei no seio da minha família para nunca mais deixá-la senão pela morte. Tem paciência, a vida precisa desses boléus e a amizade destas provas". Poucos dias depois, em outra carta à mulher, ele menciona novamente sua má sorte, o "caiporismo" que o perseguia.[4]

Benjamin Constant permaneceu no teatro de guerra pouco mais de um ano, e sobre sua experiência não há nenhum grande

---

3. Benjamin e Maria Joaquina tiveram cinco filhas e um filho. A mãe de Benjamin morreu em 1873.
4. BC, cartas de 5 e 13/9/1866. Algumas cartas foram publicadas em Mendes (1913, v. II), mas com cortes.

feito a destacar. Sem participar diretamente de combates, atuou em trabalhos de abastecimento, construção de trincheiras e elaboração de esboços topográficos, como oficial de engenheiros. Na época, chegou a desentender-se com colegas. Segundo o depoimento de Macedo Soares, "logo que chegou ao acampamento, Benjamin, que só era conhecido no Rio de Janeiro como grande matemático, encontrou mesmo entre os seus companheiros de armas e de estudos quem duvidasse de seus brios e valor militar, e tivesse a infeliz idéia de pô-los à prova" (cf. Mendes, 1913, I:151).

Pelas cartas que Benjamin Constant enviou durante a guerra, fica claro o desinteresse que tinha pela carreira militar. Escrevendo para a mulher em 6/3/1867, manifesta o desejo de que

> (...) toda esta *porcaria* acabe o mais depressa possível; tenho muitas saudades de ti, de minhas filhinhas, e desejo quanto antes voltar para abraçar-te e vivermos juntos e felizes e que nunca mais nos separemos. (...) Eu troco pela felicidade de estar contigo e com toda a nossa família todas estas fofas glórias do mundo. Não sou suscetível destes vãos entusiasmos. Cumpro o meu dever como militar e hei de cumpri-lo simplesmente para estar bem com a minha consciência, nada mais tenho em vista, mesmo porque não posso, e não devo ser militar com a numerosa família que tenho, e pelos nenhuns recursos que dá esta desgraçada classe em nosso país. Tenho me exposto já muito e muito para que ninguém suponha que fujo ao perigo, (...) mas digo com toda a franqueza que tenho tido até remorsos disso, atendendo à péssima direção que vão levando as nossas coisas, o abandono criminoso em que são deixadas, e o nenhum resultado útil que disso se tira para o militar, ou para o país.

A 29 do mesmo mês, afirma que os sacrifícios que está fazendo "nenhuma significação têm em minha vida futura, (...) porém trago às costas uma pesada farda que nenhum futuro dá a ninguém neste nosso desgraçado país, e que no entanto impõe-me deveres". A 5/4/1867, escrevendo ao sogro, reafirma que "não tenho pretensão alguma na vida militar: só o que desejo é voltar (quando isto se acabar) e bem com a minha consciência". A 5 de junho promete à esposa fazer o possível para deixar o Exército, antes mesmo de a guerra acabar: "Como sabes, eu não desejo, não posso e não devo continuar a servir como militar: sempre te manifestei o desejo de despir esta incômoda farda". Ainda na mesma carta: "Prometo-te também que se cair doente, peço inspeção e empenho-me para ir tratar no Brasil e que chegando lá peço no mesmo dia a minha demissão do serviço do Exército". Dois dias mais tarde, Benjamin promete a sua mulher que, dentro de um mês, poderá dar parte de doente e pedir inspeção de saúde para retirar-se ao Brasil, dizendo que "para isso tenho a inflamação de fígado que aqui se agravou um pouco por causa das febres intermitentes que apanhei. Os sofrimentos de fígado têm sido muito atendidos pela junta de saúde e têm servido de base a muitas licenças concedidas a oficiais para voltarem ao Brasil: servirá também a mim". Com efeito, Benjamin Constant recebeu licença de saúde por três meses em 31/8/1867, chegando ao Rio em 4 de outubro.

De volta à Corte, Benjamin retoma sua paixão pela matemática. Em dezembro de 1867, apresenta ao Instituto Politécnico Brasileiro seu único trabalho a ser publicado: *Teoria das quantidades negativas* (1868, 82 p.).[5] Ele não mais retornaria à guerra. A licença de saúde foi por duas vezes renovada. Em 8/5/1868, seu sogro dirigiu um requerimento ao governo mencionando os serviços prestados por Benjamin na Campanha do Paraguai e pedindo que lhe fosse concedido, em virtude de seu estado de saúde, um emprego militar na Corte ou a sua reforma. Além da doença, Benjamin, segundo o sogro, achava-se "sem meios de poder manter sua mulher e filhas, de pagar as mensalidades de sua mísera mãe alienada, existente no hospício de Pedro II, de poder alimentar uma velha tia octogenária, e agora uma irmã (com uma filhinha de 4 anos) que está a enviuvar, por achar-se moribundo o desgraçado marido, e não ter ela outro algum amparo".

Um manuscrito de Benjamin Constant, da mesma época, pedia a demissão do Exército, "deixando a carreira das armas e seguindo outra [o magistério], a que o suplicante se tem dedicado e para a qual sente a mais decidida vocação".[6] O requerimento não chegou a ser encaminhado, talvez porque em junho de 1868 Benjamin tenha sido nomeado para continuar no Observatório Astronômico, posição que lhe permitia evitar o retorno à guerra e retomar sua carreira no magistério.[7] Em maio de 1869, morre seu sogro, e ele é nomeado

---

5. O Instituto era presidido pelo conde d'Eu e se reunia semanalmente na Escola Central. O objetivo, segundo os estatutos, era "o estudo e a difusão dos conhecimentos teóricos e práticos dos diferentes ramos da engenharia e das ciências e artes acessórias." Benjamin foi nomeado sócio efetivo em 1870. Ver BC, IPB/Magalhães, B. C. 8670000.
6. Para os dois documentos, ver BC, C.P./doc.of. 8680508.

diretor do Instituto dos Meninos Cegos. À frente dessa instituição, sempre se defrontaria com a escassez de recursos.

Benjamin Constant entra para o magistério da Escola Militar da Praia Vermelha em 1872, como coadjuvante do curso superior. No final de 1873, presta concurso para o lugar de repetidor. Antes de começar a fazer o concurso, que era assistido pelo Imperador, Benjamin pede a palavra e diz que, caso aprovado, se esforçará por difundir suas idéias positivistas; por isso, pergunta se pode prestar o concurso. O general Polidoro, então diretor da Escola, fala em particular com o Imperador, sendo-lhe respondido que sim. Benjamin é então classificado em 1º lugar e nomeado. Vale a pena ressaltar que ele não foi interrogado: espontaneamente declarou sua adesão ao positivismo. O episódio, no entanto, ao invés de ser uma afronta ou desafio ao monarca, tinha a intenção oposta: nele buscar apoio contra a banca examinadora.[8] O fato a destacar: por essa época, Benjamin Constant já era reconhecido publicamente como adepto do positivismo. Vejamos, portanto, a história de sua adesão.

Segundo Teixeira Mendes, Benjamin teria lido pela primeira vez um livro de Comte em 1857, mesmo ano da morte do filósofo (Mendes, 1913, I:48-51). Não se pôde confirmar essa informação. De qualquer forma, é certo que, ao embarcar para o Paraguai, ele já se considerava um positivista. Em 5/6/1867, por exemplo, escreveu à mulher:

> Tu és para mim mais, muito mais, do que a Clotilde de Vaux era para o sábio e honrado Augusto Comte. Sigo, como sabes, todas as suas doutrinas, seus princípios, suas crenças: a Religião da Humanidade é a minha religião, sigo-a de coração com a diferença porém de que para mim a família está acima de tudo. É uma religião nova, porém a mais racional, a mais filosófica, e a única que dimana naturalmente das leis que regem a natureza humana.

---

7. Benjamin Constant deixou o Observatório Astronômico em 1871, quando este se tornou uma instituição autônoma em relação à Escola Central.

8. Ver resumo de um discurso de Benjamin Constant no *Cidade do Rio* de 30/11/1889: "Entrando na carreira do magistério, quis o corpo docente de então, cortá-la, porque o orador, sendo positivista, procuraria propagar as suas idéias. O ex-imperador, a quem sempre venerou, como à sua virtuosa família, opôs-se a que se consumasse a violência, e o orador começou a ensinar a doutrina de Augusto Comte aos seus queridos alunos".

Vimos no capítulo 3 que Benjamin Constant se encontrava entre os sócios que fundaram, em 1876, a Sociedade Positivista do Brasil, transformada, em 1881, no Apostolado e Igreja Positivista do Brasil, sob a direção de Miguel Lemos e Teixeira Mendes. Foi também mencionado seu rompimento com a Igreja em 1882, por discordar da orientação proselitista de seus diretores.

Benjamin Constant se considerava um discípulo de Comte. No entanto, é importante observar que sua admiração pela Religião da Humanidade era mais ideal ou teórica que militante, e seu interesse maior estava nas obras da primeira fase, "científica", do filósofo. O visconde de Taunay registrou um conselho que recebeu de Benjamin a respeito das doutrinas de Comte: "Não siga apertadamente o sistema todo (...); em não poucos pontos dele me aparto, nem pratico a Religião da Humanidade, mas estude os livros do mestre; discipline as suas idéias" (cf. Mota, 1976:260, nota 40). Para Teixeira Mendes, Benjamin "não pregou a Religião da Humanidade, pregou Augusto Comte" (1913, I:251).

O afastamento de Benjamin Constant da Igreja Positivista seria duradouro. Suas relações com Miguel Lemos e Teixeira Mendes cessaram completamente em 1885. Neste ano, alguém contou a Teixeira Mendes que, durante concurso no Colégio Pedro II, um examinador da banca discordara de uma resposta do candidato, e, à réplica do examinado de que esta era a opinião de Comte, respondeu: "Pois fique com a sua opinião que eu fico com a minha, mas asseguro-lhe que está em erro, conforme o demonstrou o Sr. Dr. Benjamin Constant, meu professor de matemática".[9] Além de esta afirmação ser considerada um sacrilégio pelos diretores positivistas, o agravante era o fato de que ela tinha sido feita em presença de numeroso auditório, estando presente o próprio Benjamin Constant. Teixeira Mendes foi à casa de Benjamin na noite do mesmo dia, para cobrar explicações. Este apresentou suas objeções ao ponto da matemática de Comte em questão, reconhecendo no entanto que a palavra "erro", usada pelo examinador, não fora exata.

---

9. Ver a carta aberta de Miguel Lemos a Benjamin Constant, datada de 25/10/1885: *A propósito de um pretendido erro de Augusto Comte. Carta ao Sr. Dr. Benjamin Constant Botelho de Magalhães* (Centro Positivista, 1885, 16 p.) Consultei o exemplar anotado por Benjamin Constant que está em seu arquivo (POSIT./C. Posit. 8851025). Junto encontra-se o rascunho da resposta de Benjamin, também tornada pública.

Para Teixeira Mendes, era muito grave lançar suspeitas sobre Comte. Já no dia seguinte, ele imprimiu uma carta aberta a Benjamin Constant, distribuindo-a gratuitamente entre os alunos das escolas Militar e Politécnica. Benjamin dirá, em sua resposta, que a leitura dessa carta lhe causou "desagradabilíssima impressão", e que ele foi "talvez um dos últimos a recebê-la".

Algumas anotações manuscritas feitas por Benjamin Constant no exemplar que recebeu demonstram seu afastamento do sectarismo da Igreja. Ele sublinha, por exemplo, uma passagem em que Teixeira Mendes diz acreditar na "mais severa submissão" ao Mestre, e põe, na margem: "!!" Outra dupla exclamação refere-se ao trecho: "A profanação das obras de Augusto Comte, com a indagação de erros e lacunas que porventura nelas existam, constitui um crime de lesa Humanidade". Em sua resposta, Benjamin diz que "crime de lesa humanidade seria ocultar sistematicamente os erros da doutrina".

Benjamin Constant só se encontraria novamente com os diretores do Apostolado dias após o golpe da República, quando foram levar seu apoio ao governo instaurado pela insurreição militar da qual estiveram completamente alheios. Também só após essa data é que, segundo o próprio Teixeira Mendes, eles estabeleceriam contato com "os mais ardentes discípulos de Benjamin Constant" (1913, I:339).

Voltando à carreira de Benjamin Constant no magistério, vemos que em 1879 a cadeira de matemática que ocupava no Instituto Comercial foi extinta. Benjamin escreveu ao inspetor geral da instrução do município da Corte, refutando, baseado numa lei, sua extinção, mas não obteve sucesso.[10] Por essa época, já era major — fora promovido em 1875 —, e estava muito insatisfeito com sua situação profissional, especialmente quanto ao lugar de repetidor na Escola Militar. Na carta que escreveu em 1879 a João Alfredo, presidente do Conselho de Ministros, relatando-lhe — e lamentando — as ocorrências de sua vida no magistério público, Benjamin afirmou que esse emprego,

> (...) além de mal remunerado, só é vitalício ao fim de quinze anos de efetivo exercício no magistério. Além disso, o militar que exerce este lugar, se não tem no Exército outro emprego,

---

10. BC, Inst.Com. 8791115.

perde todos os vencimentos militares que se consideram incluídos nos vencimentos de repetidor, podendo-se dar o fato de perceber menos que o simples soldo da patente; somente se poderá jubilar se desistir da reforma e vice-versa, e fica fora dos quadros regulares do Exército, sujeito a promoções muito mais lentas, com grave prejuízo seu e de sua família, a quem legará menor meio soldo (cf. Constant Neto, 1940:26-7).

Até 1879, a Congregação da Escola Militar já propusera duas vezes ao governo a nomeação de Benjamin Constant, bem como a de outros repetidores, para lente catedrático, sem dependência de novo concurso — uma exigência da legislação. Na segunda tentativa, os repetidores foram nomeados lentes interinos, o que não representava na prática mudança alguma. Revoltado, Benjamin escreve, ainda na carta a João Alfredo, que, "cansado e descoroçoado, declarei por escrito à Congregação, que qualquer que tivesse de ser a minha sorte no magistério, não entraria mais em concurso nenhum das duas Escolas Central e Militar" (cf. Constant Neto, 1940:27).

Em 1875, Benjamin Constant havia aceito convite da Congregação da Escola Politécnica para ser repetidor, cargo que passou a acumular com o da Escola Militar. No entanto, em relação a essa posição, também sentia-se injustiçado em 1879, pois seis repetidores de situação acadêmica igual ou inferior à sua foram nomeados lentes catedráticos, sendo Benjamin preterido sob o argumento de que não havia prestado concurso para a antiga Escola Central, da qual se originou a Politécnica: "Restava-me, no fim de tantos anos de incessantes esforços — escreve ele em 1879 ao presidente do Conselho de Ministros —, sofrer mais este golpe. Como sempre, resignei-me a mais esta dolorosa iniqüidade na carreira do magistério que com tanto entusiasmo e boa fé abracei" (cf. Constant Neto, 1940:28). Em função disso, a cadeira que Benjamin regia foi posta em concurso e ele teve que deixar a Escola Politécnica, já que permanecia no firme propósito de não prestar mais concursos. É assim que resume sua situação em 1879: "Fechada para mim a Escola Politécnica, suprimido o Instituto Comercial, devo resignar-me à posição precária de repetidor da Escola Militar, sem esperança de acesso a lente catedrático? Eis a situação a que cheguei no magistério, depois de tantas lutas e tantos desgostos!" (Cf. Constant Neto, 1940:30.)

A situação melhorou quando, no ano seguinte, Benjamin foi nomeado diretor da recém-criada Escola Normal. Continuaria como diretor até 1885, permanecendo depois como professor até sua jubilação por decreto de 24/8/1889. Seu discurso na inauguração da Escola (28/3/1880), que contou com a presença do Imperador, começou assim:

> Senhores. É sem dúvida imponente e cheio de ensinamentos o espetáculo que presenciamos. Um monarca reconhecida e eminentemente ilustrado, dominado do mais acrisolado patriotismo, e um povo inteligente e livre, cônscio da sua grandeza e dos altos destinos que o futuro lhe reserva, aqui se acham agregados para saudarem nas emoções do maior júbilo a realização de uma grande idéia que é e tem sido a mais nobre e elevada aspiração dos homens livres. Não é mais entre nós elemento exclusivo do programa de um qualquer desses partidos que se debatem em triste e encarniçada luta no estreito campo da nossa política.[11]

Afirmou ainda que, na qualidade de diretor, pretendia inspirar-se na grande evolução filosófica de nosso século — isto é, a doutrina de Comte. Os elogios públicos ao Imperador, como veremos, iriam se transformar, nos anos seguintes, em rancores privados.

A preocupação de Benjamin Constant com o futuro de sua família caso morresse ou ficasse inválido sempre foi grande — possivelmente, um sentimento que vinha de sua infância trágica. Seu arquivo mostra que ele ingressou em muitas sociedades beneficentes, irmandades e montepios.[12] Durante toda a década de 1880, apesar de acumular cargos no Instituto dos Meninos Cegos, na Escola Normal e na Escola Militar, sua situação financeira era precária, como demonstram recibos de empréstimos, balancetes de despesas e projeções de dívidas presentes em seu arquivo. Em 31/3/1886, por exemplo, pediu 470$000 de empréstimo por dois meses a um particular, com juros de 10% ao ano. No dia seguinte, elaborou um "Guia para as minhas despesas mensais", que pode ser resumido da seguinte forma:

DESPESAS:	
Colégio das filhas:	130$000
Alugados (cozinheira, lavadeira):	115$000
Alimentação:	207$000

---

11. Ver rascunhos do discurso em BC, Esc.Nor./inaug. 8800328 e artigo na *Gazeta de Notícias* de 6/4/1880.
12. BC, DP 0000000/7 mostra que, no período 1860-1872, Benjamin ingressou em nada menos que 12 dessas sociedades, sendo 10 após a volta do Paraguai. Após 1872, e até a República, ainda ingressaria em várias outras.

Diversos (calçados, condução e despesas miúdas):	92$000
Associações beneficentes, jornais e revistas:	21$000
Total das despesas:	566$100
RECEITAS:	
Instituto dos Cegos:	277$600
Escola Normal:	196$000
Escola Militar:	100$000
Total das receitas:	573$600
SALDO:	7$500

Seus proventos, portanto, mal permitiam zerar as despesas normais, e quaisquer despesas não-previstas tinham de ser cobertas por empréstimos; para saldá-los, Benjamin Constant contraía novos empréstimos, e assim sua situação piorava ainda mais. Em um documento, provavelmente de maio de 1887, ele faz um estudo visando à extinção de suas dívidas junto ao Banco Auxiliar no período de junho de 1887 a outubro de 1888. A dívida inicial era de 3:160$320, equivalente a quase seis meses de seus proventos. Pretendia abatê-la à razão de 387$000 por mês a partir de agosto. Certamente, para tal, precisaria valer-se de outros empréstimos. Mesmo assim, em suas projeções, incluídos os juros, em outubro de 1888 a dívida ainda estaria em 1:995$870. Seria então necessário um novo empréstimo, que elevaria o total a 3:995$870 — montante ainda maior que a dívida inicial.[13]

Os vencimentos de Benjamin Constant no Instituto dos Cegos e na Escola Normal já estavam no limite; a única esperança de melhorar sua situação financeira era a obtenção da cátedra na Escola Militar. Uma esperança surgiu quando os repetidores pleitearam, baseados na legislação vigente, o gozo das mesmas vantagens que as dos professores das faculdades de medicina e de direito, dentre as quais a nomeação por antigüidade para lente catedrático. Entretanto, após obterem pareceres favoráveis nas instâncias militares, após dois anos de espera o requerimento ainda não tinha sido atendido pelo Conselho de Estado.

Em 1886, o governo autorizou o comandante da Escola Militar a abrir concurso para as vagas de lente catedrático, que já eram preenchidas interinamente pelos repetidores, entre eles Benjamin Constant. Em conjunto, os repetidores requereram novamente ao Legislativo o direito de serem nomeados lentes catedráticos sem

13. BC, DP 8780706, doc. 3, DP 8870000 e DP 8860401.

novo concurso, mas isso não foi aceito. Firme em sua posição de não prestar concurso — pois já havia sido aprovado como repetidor efetivo em 1873 —, Benjamin Constant esperava que nenhum de seus colegas se inscrevesse e que o Parlamento reconhecesse seus direitos à nomeação sem concurso. Uma anotação em sua agenda, de 13/9/1886, diz o seguinte:

> Há mais de 13 anos tive a certeza de que (...) apesar do direito incontestável [dos repetidores da E. Militar] às suas nomeações de lentes catedráticos (...) o capricho (I.) tem triunfado de tudo e de todos. O próprio senador Junqueira, que declarou no Senado ser incontestável esse direito, foi quem posteriormente (março de 1886) mandou pôr em concurso as cadeiras vagas! Assim violentado em meus direitos, requeri, com os outros, ao Parlamento, a minha nomeação de lente catedrático[14].

Por "I.", Benjamin Constant referia-se ao Imperador. Revoltado, ele continuava firme na decisão de não se inscrever para esse concurso, mas temia a possibilidade de que

> (...) a Congregação me proponha mais uma vez e que o (I.) me nomeie e então — como um gesto de *clemência* Imperial — será então esse favor de S. M. Eu porém não quero como favor o que me competia por direito. Rejeitarei essa nomeação se ela se der. (...) Há uma única hipótese em que aceitarei a nomeação de lente catedrático da E. Militar — é aquela a que o Parlamento, discutindo os nossos requerimentos, reconhecer, como deve, o nosso direito incontestável à nomeação de lentes catedráticos independentemente de novos concursos. Essa esperança é porém ilusória, a sessão está a terminar, e quando, para o ano, se tratar desse assunto, o atentado terá produzido os seus efeitos — estará consumado o sacrifício, calcada aos pés a lei, mas satisfeito o capricho imperial.

No dia 28/10/1886, um bilhete reservado de um colega avisava Benjamin que o ministro suspendera os concursos. No mesmo dia, ele anota o fato em sua agenda, comentando que a suspensão era conseqüência dos requerimentos que ele e os outros professores fizeram, e que o concurso seria "um verdadeiro atentado contra os nossos direitos".[15] Apesar disso, Benjamin e seus colegas não foram

---

14. BC, DP 8810101.
15. BC, Esc.Mil./doc.part. 8861028 e DP 8810101.

nomeados catedráticos, as vagas não foram preenchidas, e tudo continuou como dantes.

Na mesma época, havia a "Questão Militar".

Como vimos no capítulo anterior, no dia 10 desse mesmo mês de outubro de 1886, Benjamin Constant comparecera a uma reunião na Sociedade Francesa de Ginástica, convidado por alguns alunos. A Questão parecia estar se resolvendo, e Benjamin propôs uma moção — que foi aprovada —, aderindo às atitudes dos "camaradas do Rio Grande do Sul" em defesa do "restabelecimento de seus direitos", e demonstrando ao mesmo tempo satisfação com a solução dada pelo governo. No dia 2/2/1887, em reunião no Teatro Recreio Dramático, presidida por Deodoro, Benjamin novamente esteve presente e fez um discurso conciliador, favorável à solução do trancamento das notas de punição de Cunha Matos e Sena Madureira, aceita pelo governo. Com o prolongamento da Questão devido ao fato de os dois oficiais atingidos se negarem a requerer o trancamento das notas, Benjamin Constant criticou-os como "turbulentos que querem fazer a República".

A atuação de Benjamin Constant na Questão Militar é de interesse não apenas por ter sido este o momento de seu *début* político, como também por ter sido a primeira vez em que atuava voluntariamente como membro da "classe militar". Vimos que ingressou na carreira militar por necessidade, e não por vocação. Por duas vezes, esteve decidido a pedir demissão do Exército. Sempre se considerou — e foi considerado, como demonstra o tratamento de "Dr. Benjamin" — antes um professor que um militar. Exceto pela curta estada na Guerra do Paraguai, nunca desempenhou qualquer função no Exército. Coerentemente, no campo "profissão" do título de eleitor que tirou em 1881, ele declarou: "magistério". A participação na Questão Militar não mudaria, ao menos até agosto de 1889, sua auto-imagem predominante: novo título de eleitor, a mesma opção pelo magistério.[16]

---

16. BC, DP 8810723.

O que em 1886-1887 uniu provisoriamente na mesma pessoa os papéis sociais de professor e militar — o "Dr. Benjamin" e o "major Benjamin" — foi a insatisfação de ambos com o governo, pelo não-reconhecimento de seus direitos. Na mesma época em que o Dr. Benjamin se sentia logrado em seu direito à cátedra da Escola Militar — que representava, além do reconhecimento acadêmico, o alívio financeiro tão desesperadamente necessário —, havia uma questão entre o governo e militares que se viam atingidos em seus direitos e em sua honra.

Benjamin Constant era no início de 1887 um homem de 50 anos, doente — viveria mais quatro anos —, e com uma vida profissional marcada, a seu ver, pelo "caiporismo". O tempo que sobrava das diversas instituições onde lecionava matemática de estilo positivista era dividido entre as preocupações com a sobrevivência financeira e o devotamento à vida em família — em carta a um amigo, na época da Questão Militar, ele escreveu: "Essas doces emoções do lar doméstico são as melhores que podemos encontrar neste mundo. (...) Tenho a felicidade doméstica, a maior que poderia ambicionar, e a consciência de merecê-la."[17]

Menos de três anos depois, vemos o pacato professor de matemática metamorfoseado em líder radical do golpe militar republicano, deixando sua casa numa madrugada para unir-se a jovens militares numa aventura política. Dentre todos os destinos que lhe era possível escolher, Benjamin tomou a direção aparentemente menos previsível, se tivermos como referência sua vida até 1887. No entanto, como observa Gilberto Velho (1994), nessas metamorfoses da identidade sempre se guardam sinais do estado anterior. A trajetória de Benjamin Constant em direção ao golpe possui uma dimensão consciente, e dependerá em grande parte de sua performance; mas é também devedora de fatos de sua biografia, rearrumados e reavaliados em função de sua nova condição.

O interessante é que Benjamin será levado a desempenhar o papel com que passou à história por uma "mocidade militar" formada por jovens que, como ele, apesar de fazerem parte do Exército, se viam antes como "científicos" que como militares. O fato de tanto Benjamin quanto a "mocidade militar" ocuparem uma posição

---

17. Carta de 8/2/1887, BC, COR 8870208.

periférica na carreira militar é, no entanto, bastante significativo para a compreensão das condições sociológicas que possibilitaram esse encontro.

Outras afinidades ficam claras quando colocamos em paralelo características da cultura dos jovens militares "científicos" e da biografia de Benjamin Constant. Vimos que a "mocidade militar" era um grupo relativamente homogêneo em termos de experiências profissionais e de valores, com uma identidade social construída em parte pela oposição simbólica, fora do mundo militar, ao mundo dos capitais sociais herdados (e não adquiridos por mérito pessoal) — o mundo dominado pelos bacharéis de direito — e, em parte, dentro do mundo militar, pela oposição aos "tarimbeiros". Vários pontos da biografia de Benjamin Constant encontram ressonância na cultura da "mocidade militar". Inicialmente, temos o baixo capital social herdado e o ingresso na carreira militar antes por necessidade que por vocação. A isso soma-se a socialização profissional na Escola Militar, com as mesmas experiências de afirmação do princípio do mérito individual, consubstanciado no título de alferes-aluno — lembremos do orgulho dos benjamins e bevilacquas com a nova farda. E mais, o desinteresse pela parte bélica da carreira, o descompasso entre o sentimento de pertencer a uma elite intelectual e a falta de oportunidades sociais, o ressentimento com o governo pelas dificuldades na carreira — lembremos da indignação de três turmas de alunos da Escola Militar com direito à sagrada promoção a alferes-alunos não sendo sancionada pelo governo e a indignação de Benjamin Constant com o fato de não obter a cátedra a que acreditava ter direito. Benjamin possuía uma trajetória social ascendente, baseada no mérito, mas que, a seu ver, só era possível até determinado ponto, até um limite, para além do qual a falta de capital social tornava-se impedimento. Essa parece ser uma visão compartilhada pela "mocidade militar", que se via como destinada a "ocupar os mais altos postos" no "estágio científico" da evolução da humanidade, mas que vivia uma situação de desvantagem em relação à elite dominada pelos bacharéis em direito.

Benjamin Constant era, ainda, como a "mocidade militar", contra a escravidão. Entre seus documentos, há um projeto de sua autoria, de 1874, que pretende auxiliar o governo na libertação dos escravos ainda existentes. Neste mesmo ano, expôs ao visconde do Rio Branco, presidente do Conselho de Ministros que aprovara, em 1871, a Lei do Ventre Livre, um "plano de loterias especiais para a emancipação dos escravos no Brasil". Essas iniciativas, no entanto, não vingaram.[18] Não há registros da participação de Benjamin Constant no movimento abolicionista organizado. Em agosto de 1887, no entanto, ele receberia o título de sócio-honorário da Confederação Abolicionista.[19] Sua posição contra a escravidão já era, então, pública e notória. Em 1886, por exemplo, enquanto a Questão Militar ainda estava longe do seu final, vêmo-lo cancelando sua aula na Escola Normal no dia da morte de José Bonifácio de Andrada e Silva. Em carta enviada a José do Patrocínio, redator da *Gazeta da Tarde* e um dos principais abolicionistas, Benjamin deu pêsames pela perda que

> (...) sofreu entre nós a santa causa da abolição do elemento servil, à qual V. S.ª tem de há muito consagrado. (...) Não há, a meu ver, cruzada mais nobre, que mais de perto interesse à causa da humanidade, e, portanto, a todos os homens de espírito e de coração, que essa em que se procura arrancar ao cativeiro arbitrário e degradante mais de um milhão de infelizes, sem lar, sem pátria e sem família, num século em que o movimento geral humano se traduz, felizmente de modo cada vez mais enérgico e acentuado, no sentido da progressiva elevação moral de nossa espécie.[20]

A linguagem empregada na carta sugere que a posição de Benjamin Constant contra a escravidão era decorrente de sua fé positivista. A explícita filiação de Benjamin ao positivismo em seus aspectos "científicos" também deve ser destacada. Era, além disso, um professor de matemática — o que não deve ser visto, como às vezes ocorre, como uma curiosidade. Vimos que a matemática tinha entre a "mocidade militar" um lugar de honra; esse fato é importante para entendermos a posição que Benjamin Constant assumiu. Como ressaltaria no futuro um "discípulo":

> O grande mérito do nosso mestre era que ele não saíra do grupo dos políticos incompetentes, de quem falou o filósofo inigualável [Comte], *ces pretendus qui tranchent en sociologie quoiqu'ils ignorent l'arithmétique.* Ele tinha, ao invés, para orientá-lo com segurança, essa doutrina geral, que vai do estudo do número e

18. BC, SEG.SOC./loterias 8740305, 8740104, 8740601 e 8740610.
19. BC, DP 8870809.
20. BC, COR 8861104.

da quantidade até a moral, e que ensina a confiar na ação das leis naturais (Sodré, L., 1915:11).

Se Benjamin Constant não tinha em sua biografia os elementos socialmente mais valorizados pela elite política e social da época, para a cultura da "mocidade militar" ele possuía, ao contrário, um verdadeiro tesouro biográfico. Benjamin tinha o mérito adicional de ter sido, se não o único, um dos poucos oficiais superiores da Corte a se apresentarem em defesa da "classe militar" durante a Questão Militar.

No início de 1887, o primeiro encontro entre a "mocidade militar" e seu futuro "líder" já ocorrera. Mas ainda havia uma longa distância a percorrer entre o professor e o golpista.

6
Os Operários do Futuro

"Hoje, que os nossos ideais são, de fato, os verdadeiros e os únicos materiais para a prodigiosa construção da civilização pátria — nós, os operários do futuro, e que devemos em breve atirar na ação toda a fortaleza de nossa vitalidade, todos os brilhos do nosso espírito, todas as energias do nosso caráter (...)"

Alferes-aluno Euclides da Cunha, 22 anos, em artigo na *Revista da Família Acadêmica*, junho de 1888

A Questão Militar encerrou-se formalmente no dia 20/5/1887, quando o Senado aprovou uma moção "convidando" o governo a realizar o trancamento das notas de punição a Cunha Matos e Sena Madureira. A "mocidade militar", no entanto, imediatamente articulou-se para não deixar a precária entidade social forjada na Questão — a "classe militar" — perder forma e desaparecer. O objetivo era institucionalizar uma associação que representasse a "classe" e fugisse ao controle da cadeia de comando militar existente. Diversas reuniões de jovens oficiais "científicos" ocorreram na casa do capitão Serzedelo Corrêa, visando à criação de "círculos" militares nas principais guarnições, a começar pela Corte. O movimento culminou com uma reunião no dia 2 de junho, ainda na casa de Serzedelo.[1]

Inocêncio Serzedelo Corrêa já apareceu neste livro, no capítulo sobre a Questão Militar. Foi ele quem discursou em 1/2/1887, em nome dos alunos da Escola Militar, na despedida de Severiano da

---

1. Sobre a criação do Clube Militar, ver Guimarães (1932), Almeida (1978) e Mitchell (1978).

Fonseca do comando da Escola, após este não haver conseguido impedir o comparecimento dos alunos ao desembarque de Deodoro e Sena Madureira, vindos do Sul; no dia seguinte, ele estava presente à reunião ocorrida no Teatro Recreio Dramático; depois, apareceu tentando articular a radicalização republicana da Questão, proposta que não encontrou eco nos oficiais mais graduados.

Serzedelo foi um dos expoentes da "mocidade militar". Sua biografia é típica dessa geração de jovens oficiais científicos que conspirou ativamente pela República.[2] Ele nasceu no Pará em 1858; tinha, portanto, 29 anos quando a Questão Militar se encerrou. Ficou órfão cedo e, para poder estudar, teve de ocupar uma vaga de pobre do Seminário Menor de Santo Antônio, em Belém. Em 1874, aos 16 anos, sentou praça no Exército para poder seguir para a Escola Militar da Praia Vermelha e continuar seus estudos. Como muitos outros jovens da sua geração militar, o ingresso no curso superior representava também a mudança da província para a Corte. No início de 1878, tornou-se alferes-aluno, após ter sido aprovado com distinção nos dois primeiros anos do curso superior. Ao final de 1881, já como tenente, concluiu o curso de engenharia. Permaneceu na Escola como auxiliar de ensino, e, na qualidade de professor interino, deu aulas de fortificação, mecânica racional, geometria analítica, cálculo diferencial e integral, construção, química orgânica, botânica e zoologia. Em 1884, passou a acumular o magistério com o cargo de secretário do Corpo de Alunos, e, no ano seguinte, foi promovido a capitão de engenheiros.

Ao final da Questão Militar, outro agitador da criação dos "círculos" militares era Tomás Cavalcanti de Albuquerque, um cearense de 31 anos promovido a segundo-tenente em 1881 e que já encontramos como um dos acionistas da "Empresa Gutenberg" da Escola Militar. Ele foi um dos promotores da reunião na casa de Serzedelo acima mencionada. À mesma reunião esteve presente o sergipano José Maria Moreira Guimarães, de 22 anos, aluno da Escola Militar da Praia Vermelha desde 1882 — o autodenominado "spencerista" mencionado no capítulo 3. Sua história de vida apresenta semelhanças com a de tantos outros membros da "mocidade militar": o ingresso na carreira por necessidade, a marcante viagem da província para estudar na Corte, o contato com as idéias

2. Para a biografia de Serzedelo Corrêa, ver Machado (1972) e Rego (1988).

"cientificistas" na Escola Militar, o encantamento com a cultura européia, principalmente a francesa, a adesão ao abolicionismo e ao republicanismo. Em 1887, Moreira Guimarães já publicava sob pseudônimo artigos em um jornal republicano de Sergipe.

Dois oficiais mais antigos estiveram presentes à mencionada reunião na casa de Serzedelo Corrêa. Eram, não por acaso, parentes de Benjamin Constant: seu irmão mais novo, Marciano, que era amigo de Serzedelo, e seu cunhado, o coronel Cândido José da Costa, que presidiu a reunião. Marciano, após a morte do pai e a loucura da mãe, fora criado como um filho por Benjamin.[3] Nascido em 1848, aos 16 anos sentou praça para poder cursar a Escola Militar. Seguiu com o irmão para o Paraguai, recebendo na guerra suas primeiras promoções: segundo-tenente em 1868 e primeiro-tenente em 1869, por bravura. Voltou ao Brasil no final de 1869, concluiu o curso da Escola e foi promovido a capitão em 1875. Cândido José da Costa, irmão da mulher de Benjamin Constant, havia sido promovido a coronel em 1883.

À reunião na casa de Serzedelo não compareceram Deodoro, Sena Madureira nem Benjamin. No dia seguinte, cada um recebeu um projeto de regulamento de uma "associação militar", apresentado por Marciano, e o comunicado de que os oficiais reunidos haviam decidido por aclamação criar uma comissão composta pelos três para dar parecer sobre o projeto.[4] Escrevendo a um colega gaúcho, Sena Madureira comenta a tarefa da comissão: "Organizar os estatutos dos círculos ou clubes militares, que desejamos fundar aqui e em todas as guarnições importantes, no intuito de unir a classe para a defesa de nossos interesses comuns e prepararmo-nos para a luta que teremos de sustentar contra as becas. Esta já se desenha no horizonte..." (cf. Correia, 1939:172-3). Fica claro que, ao menos para Sena Madureira e os oficiais promotores da reunião, uma nova Questão Militar poderia ocorrer num futuro próximo.

A reunião de criação do Clube Militar da Corte realizou-se em 26/6/1887 no salão principal do Clube Naval (fundado em 1884), cedido a pedido de Serzedelo Corrêa (Mitchell, 1978:18). A sessão foi presidida inicialmente pelo visconde de Pelotas, que afirmou ser

---

3. Sobre Marciano, ver as "Nótulas biográficas" feitas por seu filho Amílcar A. Botelho de Carvalho em 1958, no Arquivo da Família de Benjamin Constant (FBC) MAGALHÃES, AB. ABM/pi 958.03.31.

4. BC, CLUB.MIL./ass.adm 8870603.

o objetivo da reunião a organização de um grêmio militar composto das "classes militares" do país — isto é, Exército e Marinha ("Armada")—, para advogar seus direitos *dentro da órbita legal*.[5] Disse que a criação de grêmios militares seria proveitosa não só para as classes militares, como também para o país em geral, e que esperava que os poderes públicos os aproveitassem para o serviço do Estado. Ao terminar sua fala, disse que, devido a problemas de saúde, não poderia continuar presente à reunião, e convidou Deodoro para presidi-la. Sena Madureira fez então a leitura do projeto dos estatutos do Clube. Pelo artigo 1º, as finalidades da associação eram:

> § 1º) Estreitar os laços de união e solidariedade entre os oficiais das diferentes classes do Exército e da Marinha; § 2º) Desenvolver o gosto pelo estudo dos diversos ramos da instrução profissional, por meio de palestras e conferências militares; § 3º) Defender pela imprensa e junto aos poderes do Estado os direitos e legítimos interesses da classe militar.

Em seguida falou o capitão-de-mar-e-guerra José Marques Guimarães, sublinhando que, para além dos interesses dos militares, os centros a serem criados deveriam ter em vista os interesses do país, procurando *pelos meios legais* fazer com que as classes militares assumissem a posição que lhes competia, concorrendo com as demais classes sociais no governo do país.

O capitão Serzedelo Corrêa fez um discurso mais radical, dizendo que era necessária a união das classes militares para a conquista da alta posição que deviam ocupar no país e na gerência de seus próprios destinos. Essa união era ainda mais necessária porque, segundo ele, há certo tempo o país vivia no regime do empirismo e dos incompetentes, parecendo haver o intuito de falsear os princípios e de rebaixar as classes militares. Interrompido repetidas vezes por apartes de adesão, Serzedelo disse que não se prolongaria porque a ocasião não era de discursos, pois as amarguras eram grandes e os desabafos seriam longos, e concluiu pedindo a pronta aprovação dos estatutos.

Os cerca de 150 presentes aprovaram unanimemente os estatutos. Passou-se então à eleição da diretoria do Clube, assim formada: presidente, Deodoro; vice-presidente, capitão-de-mar-e-

---

5. Sobre a reunião, ver os jornais do dia seguinte: *Gazeta de Notícias*, *Jornal do Commercio* e, principalmente, *O País*, que publicou a ata da reunião.

guerra Custódio José de Melo (presidente do Clube Naval); 1º secretário, coronel José Simeão; 2º secretário, capitão Marciano de Magalhães; tesoureiro, Benjamin Constant. O Clube teve 248 sócios fundadores, sendo 176 do Exército (71%) e 72 da Marinha (29%). Dos oficiais do Exército, 5 eram oficiais generais (2,84%), 39 oficiais superiores (22,16%) e 132 oficiais inferiores (75%).[6] Dentre os oficiais generais estavam Pelotas, Deodoro e seu irmão Severiano. Apesar de a iniciativa da organização do Clube ter partido de oficiais jovens que desejavam viesse ele a ser um centro politizador da "classe militar" — vide o tom da fala de Serzedelo —, no momento inicial de sua constituição o discurso dos oficiais mais graduados presentes mostra claramente que desejavam que a nova agremiação tivesse atuação moderada e dentro da legalidade.

Apesar do tom moderado dos oficiais mais graduados no momento de fundação do Clube Militar, é fato inegável que a Questão Militar representara um significativo ganho de espaço político para o grupo de oficiais que conseguira amplificar sua voz desafiando o governo em nome da "classe militar". Isso fica claro, pelo fato de os estatutos do Clube terem sido aprovados, alguns meses mais tarde, pela mesma seção do Conselho de Estado que havia recusado, 16 anos antes, os estatutos do Instituto Militar, sob o argumento de que esta associação constituía uma ameaça potencial à disciplina (Dudley, 1972:414-6). A rejeição dos estatutos do Clube Militar certamente provocaria o imediato ressurgimento da Questão Militar, ou algo pior. No entanto, quando a atuação desses militares passava a se dar dentro da órbita legal, sem ameaçar uma ruptura do *status quo*, sua força tornava-se muito menor. Isso fica evidente logo após a criação do Clube, quando a candidatura de Deodoro ao Senado foi lançada e derrotada.[7]

Morrera um senador pela província do Rio de Janeiro, e para completar sua vaga seriam realizadas eleições a 17 de julho. Serzedelo Corrêa propôs, logo na primeira sessão ordinária do Clube

6. Ver Almeida, I. (1978, II, anexo n. 11).
7. Sobre essa candidatura, ver Magalhães Jr. (1957, I:289-99) e Dudley (1972:435-8).

Militar, que Deodoro fosse candidato. Benjamin pronunciou-se em seguida, dizendo que antes de apoiar Deodoro precisava conhecer suas posições a respeito dos seguintes assuntos: abolição, autonomia das províncias, casamento civil, separação da Igreja do Estado e secularização dos cemitérios — uma típica agenda positivista. Disse ainda que a candidatura não deveria ter caráter partidário, e afirmou que, embora nunca tivesse votado, estava disposto a exercer pela primeira vez esse direito caso Deodoro se comprometesse a apoiar essas idéias. Deodoro respondeu que aceitava a candidatura como uma imposição dos camaradas, que também era adepto das idéias de Benjamin, e que não estava ligado a partido algum. E concluiu: "Cumprirei o meu dever, mas desde já antevejo o dia em que terei de abandonar a cadeira parlamentar, desmoralizada numa como na outra casa do Poder Legislativo!" (cf. Magalhães Jr., 1957, I:291).

Deodoro passou a receber o apoio formal dos abolicionistas, sacramentado no dia 10 numa reunião da Confederação Abolicionista. Provavelmente a simpatia de Deodoro pela causa era anterior à sua candidatura. Assim que se iniciou a propaganda pela abolição, ele havia concedido alforria a duas escravas que tinha; por ocasião da reunião militar de 2/2/1887 no Teatro Recreio Dramático, havia afirmado que a força armada tinha a obrigação de ser abolicionista (Magalhães Jr., 1957, I:311).

Apesar do apoio do Clube Militar e da Confederação Abolicionista, as chances de Deodoro ser eleito eram mínimas. Tinha-se como certa a vitória do Partido Conservador, tanto que os partidos Liberal e Republicano nem apresentaram candidatos. A votação teve um baixo índice de comparecimento às urnas, e Deodoro chegou em quarto e último lugar, com 1.399 votos (7,6% do total), ficando atrás dos três candidatos do Partido Conservador. Sua votação, ínfima na província, essencialmente conservadora e escravagista, concentrou-se na Corte. A Confederação Abolicionista, apesar da derrota, esforçou-se por apresentar a votação recebida por Deodoro como "um triunfo", promovendo um ato público no dia 18, em frente à sua casa. Segundo a *Gazeta da Tarde* do dia seguinte, cerca de duas mil pessoas compareceram, dentre abolicionistas e comissões de militares. Após o discurso de líderes abolicionistas, Deodoro agradeceu o apoio recebido e reafirmou suas convicções antiescravagistas. O capitão Serzedelo Corrêa também discursou, agradecendo, "em nome do Exército" — uma indicação de que provavelmente não havia oficiais de patente superior presentes —, a manifestação feita àquele que, em suas palavras, era uma das grandes figuras da classe militar, encarnação do civismo, da honra e do patriotismo.

A campanha abolicionista forneceria ainda material para outro posicionamento público de Deodoro. O líder abolicionista Joaquim Nabuco havia sido eleito deputado por Pernambuco. Dentre as congratulações que recebeu, destacava-se um caloroso telegrama assinado por 42 alunos da Escola Militar de Porto Alegre. Descontente, o ministro da Guerra, Delfino Ribeiro da Luz, determinou ao comandante da Escola a prisão disciplinar dos alunos e a instauração de um conselho de investigação. A notícia, publicada na imprensa no dia 26/9/1887, fez Deodoro escrever no dia seguinte uma carta de protesto ao chefe do gabinete, barão de Cotegipe:

> Nesse telegrama, apenas se fazem conhecidas as crenças políticas de seus autores; não há a menor ofensa ao governo. Somente espírito partidário mui feroz ou, o que é mais triste, o baixo desejo de agradar e de chamar a atenção, podiam enxergar crime nesse ato que, permitido a todo o cidadão, não foi ainda proibido ao soldado. Crente de que V. Excia. já estará aborrecido do modo menos digno com que uns tantos supõem melhor servi-lo, ouso esperar que atenderá à minha justa reclamação (cf. Correia, 1939:176-7).

A eleição de Joaquim Nabuco também foi saudada pelo capitão Marciano, irmão de Benjamin. Ele fez, das sacadas d'*O País*, na rua do Ouvidor, um discurso em nome de sua classe dizendo que a vitória de Nabuco repercutia jubilosamente no coração do soldado brasileiro, que via no eleito a vassoura destinada a varrer o "lixo da nação", que ele explicou ser o governo atual.[8] Ainda em 1887, os alunos da Escola Militar publicaram, às suas próprias custas, um discurso de Rui Barbosa em que este, após elogiar rasgadamente o Exército, dizia que entre este e os abolicionistas se permutavam "as mesmas impressões, o espírito da mesma solidariedade, os elementos de um ambiente comum".[9] Talvez tenha sido essa a ocasião referida por Tasso

---

8. *O País*, 30/9/1887.

9. *Abolição no Brasil. Discurso pronunciado pelo Sr. conselheiro Rui Barbosa no meeting convocado pela Confederação Abolicionista no Teatro Polytheama a 28 de agosto de 1887 e mandado publicar pelos alunos da Escola Militar da Corte.* Rio de Janeiro, Imprensa Mont'Alverne, 1887, p. 5-6.

Fragoso quando relembra que, certa vez, um grupo de alunos da Escola Militar foi, anonimamente e à paisana, guardar o camarote de Rui Barbosa durante um encontro abolicionista, com receio de que os escravocratas atentassem contra sua vida (Araripe, 1960:104).

Nesse ano de 1887, com o recrudescimento da campanha abolicionista, aumentaram as fugas de escravos, principalmente nas províncias do Rio e São Paulo. O governo dispunha apenas das tropas do Exército como força efetiva para perseguir os fugitivos e destruir os quilombos que rapidamente se formavam. Aproveitando a situação, Serzedelo Corrêa e Jaime Benévolo encaminharam a Deodoro no final de outubro uma petição por eles escrita, solicitando fosse enviada por Deodoro, enquanto presidente do Clube Militar, à princesa regente Isabel, que substituía interinamente seu pai na chefia do Estado.[10]

O texto era uma exortação, feita em nome dos oficiais membros do Clube Militar, para que o governo não utilizasse o Exército na captura "de pobres negros que fogem à escravidão — ou porque vivam já cansados de sofrerem-lhe os horrores — ou porque um raio da luz da liberdade lhes tenha aquecido o coração e iluminado a alma". Após um longo trecho sobre a liberdade como o bem maior, eles afirmam que é impossível "esmagar a alma humana que quer ser livre" (cf. Machado, 1972:17-9).

Deodoro encaminhou a petição ao ajudante-general do Exército, visconde da Gávea, junto com um ofício onde afirmava ser imprudente "opor barreiras à forte corrente abolicionista", e que se o governo resolvesse empregar o Exército o resultado seria a falha, pois se os militares recebessem tais ordens, não as cumpririam (cf. Magalhães Jr., I:316-8). A petição e o ofício de Deodoro foram devolvidos, por tratar-se de uma manifestação coletiva (Duque-Estrada, 1918:219). O gesto de Deodoro e do Clube Militar representava uma nova ameaça para o governo, mostrando que um significativo setor do Exército estava disposto a levar a causa abolicionista às últimas conseqüências. Embora a petição nunca

10. D. Pedro II havia viajado em junho de 1887 para a Europa, a fim de receber tratamento médico. Retornou ao Brasil apenas em agosto de 1888. Nesse ínterim, os republicanos espalharam o boato de que ele estava louco ou decrépito. Na verdade, Pedro II teve uma severa crise de diabetes e um enfraquecimento de memória. Ao voltar da Europa, todos verificaram que a viagem lhe fizera bem.

tenha recebido uma resposta formal, ela foi amplamente divulgada e possivelmente contribuiu para apressar o fim da escravidão.

Participar da campanha abolicionista, nessa fase final, tornou-se moda, principalmente entre a juventude estudantil, intelectuais e profissionais liberais em geral. A própria Coroa passou a incentivar o fim da escravidão, através de demonstrações de simpatia pela causa abolicionista da parte de vários membros da família real, inclusive o Imperador. Com isso, a posição do gabinete escravocrata tornou-se insustentável. Em março de 1888, Cotegipe foi substituído por outro conservador, João Alfredo. Menos de dois meses mais tarde, o governo enviava à Câmara o projeto de abolição total da escravidão, que, aprovado também no Senado, foi assinado em 13 de maio pela princesa Isabel.

Da forma e no momento em que foi feita, a abolição acabou representando um reforço na imagem positiva da Coroa, principalmente entre os ex-escravos e as camadas populares em geral. Isso foi sempre lamentado pela "mocidade militar", que via desse modo desaparecer uma das bandeiras mais utilizadas na oposição ao governo. Lauro Sodré, por exemplo, em discursos e manifestos republicanos, insistia que a Lei Áurea tinha sido uma vitória do povo e não da Coroa; que a abolição não solidificara a Monarquia, não era sua tábua de salvação; que a abolição viria necessariamente, pois não resistiria à opinião popular.[11] O republicano radical transparece claramente por trás do abolicionista em passagens como a seguinte:

> Antes de sermos soldados de um país de escravos, nós éramos [antes da abolição], como somos, cidadãos da livre América, filhos deste vastíssimo continente onde a hidra do despotismo não há de nunca homiziar-se. (...) debaixo de nossas fardas, que aos olhos de alguns se lhes hão de figurar ornatos de autômatos e disfarces de manequins, palpitam corações abertos a todas as idéias inscritas nos códigos da moderna sociabilidade; e que também nós, os militares, somos consciências livres (...) (Sodré, L., 1896:269).

11. Ver o discurso "A abolição", de 13/6/1888, transcrito em Sodré, L. (1896:267-73), e o manifesto republicano do Pará de 7/9/1888, resumido em Sodré, L. (1939:35-7).

A campanha abolicionista havia fornecido ocasião e motivo para diversas atitudes de oposição ao governo. Feita a abolição, o próximo passo para os jovens oficiais "científicos" só poderia ser a República. No entanto, sem que surgisse uma nova "Questão" que mobilizasse a "classe", tudo ficava mais difícil. Na área militar, a mudança de gabinetes parecia iniciar uma fase de calmaria. José Bevilacqua escreveu aos pais, em 29/3/1888:

> Parece que desta vez acabou-se a caipora! Com a queda daquele inqualificável Gabinete cessou a atmosfera pútrida e infeccionada em que vivíamos. O Gabinete atual parece querer *prosseguir* no trabalho glorioso das reparações, dos desagravos da justiça, postergada pelos negreiros, que acachaparam-se como verdadeiros sapos que eram! Todos nós que *injustamente* havíamos sido desligados da Escola [sua turma, como vimos, passara um ano na Escola de Tiro], fomos mandados voltar num dos primeiros atos do Ministro!

O setor do Exército que teve a atuação mais radical na Questão Militar imaginava que Deodoro viria a ter uma posição de destaque no novo governo. Escrevendo a Benjamin, Marciano mencionou explicitamente as funções de comandante do Estado-Maior ou de ajudante-general, junto às quais ele pretendia arranjar uma colocação.[12] A intenção do governo, no entanto, era outra. Deodoro continuou no Rio, sem assumir comando algum, e o governo nomeou seu irmão mais velho, Severiano da Fonseca, monarquista convicto e leal ao Imperador, para ajudante-general. Com isso, o governo pretendia neutralizar a influência que Deodoro obtivera durante a Questão Militar.

Deodoro não era um republicano. No segundo semestre de 1888, escreveu duas cartas a seu sobrinho Clodoaldo — então estudante da Escola Militar de Porto Alegre e, como a maioria de seus colegas, republicano — que são definitivas a esse respeito:

> República no Brasil é coisa impossível, porque será verdadeira desgraça. (...) Os brasileiros estão e estarão muito mal educados para "republicanos". O único sustentáculo do nosso Brasil é a monarquia; se mal com ela, pior sem ela. (...) Não te metas em questões republicanas, porquanto República no Brasil e desgraça completa é a mesma coisa; os brasileiros nunca se prepararão

12. Carta de 28/3/1888, BC, COR 8650713.

para isso, porque sempre lhes faltará educação e respeito para isso (cf. Correia, 1939:181-2, cartas de 30/9 e 16/10/88).

Apesar de rejeitar o regime republicano, a posição de Deodoro como presidente do Clube Militar, fruto de sua atuação na Questão Militar, era incômoda para o governo. Este tentou criar um "Círculo dos Oficiais do Exército", que, na prática, pretendia esvaziar o Clube. Uma circular de 20/10/1888 pedia a adesão dos oficiais do Exército a "uma idéia tão salutar aos interesses da nossa classe". Deodoro respondeu que "existindo já o Clube Militar, cujo objetivo é o mesmo que pretendem, sem necessidade ou razão justificável os instaladores da nova e congênere associação militar, não devo concorrer para sua instalação" (cf. Correia, 1939:182-3).

A oposição de Deodoro inviabilizou a nova associação. Mas a última cartada do governo ainda não fora dada. No final de 1888, Paraguai e Bolívia romperam relações. O governo aproveitou a ocasião para nomear Deodoro chefe de uma expedição militar de observação a Mato Grosso e comandante das Armas da província. Este posto era até então exercido por um tenente-coronel ou coronel, que, geralmente, acumulava a função com a de presidente da província, sem o que ficaria a este subordinado. A justificativa do governo era que a ameaça de guerra entre os dois países poderia levar a uma eventual violação do território brasileiro por um dos dois países, ou a uma intervenção da Argentina, e que dessa forma o comando das Armas da província assumia uma importância excepcional; na realidade, tratava-se de um desterro mal disfarçado. Uma carta de João Severiano da Fonseca a seu irmão Deodoro tratou abertamente da questão:

> Há combinação, entre ambos os partidos, conservador e liberal, para nulificarem o predomínio militar seu e do Severiano, que nomearam por força de circunstâncias, para não desgostarem o Exército e impedirem você de reagir por seu irmão. Serro Frio, Celso e outros que não me lembro, em conversa na rua do Ouvidor, disseram que era fatal a necessidade de inutilizar a vocês dois, do contrário a espada dominaria sempre o governo e qualquer partido que estivesse de cima. (...) Você retirado [para Mato Grosso], Severiano será forçado a pedir demissão, em vista das desfeitas que lhe farão (...), e ou terá a demissão secamente, ou talvez, a bem do serviço público. E isso será uma satisfação aos bacharéis (...) E, demitido Severiano, e você retirado, os clarindos, etc., etc., serão os chefes do Exército e, fique na certeza, terão por si os oficiais e a tropa. Não embarque

> sem instruções por escrito, não embarque sem a nomeação independente de presidente [da província]. É questão de tudo ou nada; ou você continuará com o respeito, simpatias e admiração do povo, e o futuro é seu, ou bigodeado, como uma criança, e será completamente abandonado (cf. Correia, 1939:188-90).

Deodoro respondeu ao ministro da Guerra que se tratava de um comando "somenos e sem importância, muito aquém da minha posição", mas que aceitaria tal cargo cumulativamente com a administração da província e desde que tivesse poderes para organizar três brigadas. Deodoro menciona duas vezes em sua carta a existência de 16 brigadeiros a quem o governo poderia ter dado o comando das forças de observação e diz que "não quisera roubar-lhes ocasião de aparecer". Termina dizendo que, após a criação das comissões, ele poderia ir para o Sul, seguindo para Mato Grosso um dos 16 brigadeiros. O ministro, em resposta, aceitou a nomeação para presidente da província e disse que Deodoro levaria dois batalhões de infantaria da Corte, para juntar aos três que já existiam em Mato Grosso (Moreira, 1947:39-43). Mesmo a contragosto, Deodoro não pôde mais resistir, sob risco de dar ao governo pretexto para uma acusação de insubordinação. Ele finalmente embarcou para Mato Grosso a 27 de dezembro, deixando Benjamin Constant na presidência do Clube Militar.

O ano e meio que se seguiu ao final da Questão Militar foi difícil para os jovens oficiais "científicos" que compunham a quase totalidade da porção republicana do Exército. O Clube Militar fora dominado, desde seu início, por chefes militares que desejavam fosse sua atuação moderada, não radical. Além disso, o fim da escravidão retirara o forte elemento mobilizador da campanha abolicionista. O Imperador voltara da Europa melhor de saúde, desfazendo a impressão de que estava moribundo. Havia Deodoro, que, embora não fosse republicano, poderia talvez vir a polarizar novamente a oposição militar, por conta de seus descontentamentos pessoais com o governo e a cúpula militar. No entanto, o governo conseguira finalmente neutralizá-lo, enviando-o para o "desterro" em Mato Grosso. Mais um golpe atingiu o radicalismo militar nesse período:

a morte, em 28/1/1889, de Sena Madureira. Dos elementos mais ativos na Questão Militar, restava apenas Benjamin Constant. Marciano e Serzedelo Corrêa, oficiais "científicos" próximos a Benjamin, atuavam como uma espécie de mediadores entre ele e a "mocidade militar". Em 1888, no entanto, os jovens "científicos" haviam conseguido estreitar relações diretas com Benjamin. Um evento extraordinário sacramentou essa aproximação.[13]

No final de maio, Benjamin fora promovido a tenente-coronel por antigüidade, após permanecer quase 13 anos como major. Nos dias de aula, costumava ir à paisana para a Escola Militar, vestindo o uniforme militar na casa do porteiro, antes de entrar no edifício. No dia 8 de junho, ao trocar-se, descobriu que os alunos haviam substituído as divisas de major pelas de tenente-coronel e trocado seu boné por um novo. Ao seguir para a Escola, nova surpresa o aguardava. Desde o portão de entrada até a sala de aula, teve de passar por entre fileiras de alunos que, em silêncio, lhe jogavam pétalas de rosas. A sala de aula estava completamente lotada, e os alunos deram três rodadas de vivas e palmas acompanhadas de manifestações de apreço. Completamente surpreso, Benjamin agradeceu, profundamente emocionado. Ao sair da sala, foi abraçado por todos os alunos, num raro gesto de intimidade entre ocupantes de posições hierárquicas tão desiguais.

As homenagens ainda não haviam acabado. Ao deixar a Escola, acompanhado por todos os alunos, Benjamin teve que tomar o escaler privativo do comandante, que os próprios alunos haviam pedido e que fizeram questão de tripular na viagem até a praia de Botafogo, substituindo os soldados que normalmente desempenhavam tal função. No caminho, ele ainda pôde avistar alunos posicionados na praia da Saudade, dando vivas e palmas. Ao desembarcar, Benjamin teria dito aos alunos que o acompanharam na viagem, em tom de gracejo: "Quem sabe se algum dia, em vez de um escaler, não teremos nós que tripular juntos a própria nau do Estado?" (Castro, A., 1922:235).

Como coroamento das homenagens dos alunos por sua promoção, Benjamin recebeu de presente, no dia 26, um exemplar, ricamente encadernado, da *Synthése subjective* de Comte, encerrado

---

13. Para a descrição que se segue, ver Mendes (1913, II: 209-10), *O País* de 10/06/1888 e artigo de Rondon no *Jornal do Commercio* de 19/11/1939.

num estojo com a inscrição do lema positivista em letras douradas: "O Amor por princípio, a Ordem por base, o Progresso por fim". A dedicatória era "Ao venerando mestre Benjamin Constant Botelho de Magalhães. Homenagem dos alunos da Escola Militar da Corte". A lista de subscrição para a compra do livro tem 163 assinaturas, num total arrecadado de 69$000.[14]

No arquivo de Benjamin Constant há um rascunho dos agradecimentos que fez aos alunos, datado de 11/7/1888.[15] Referindo-se às homenagens, afirmou: "Tão imponentes foram as numerosas e espontâneas demonstrações de apreço e de alta estima, por demais honrosas, que então me destes, tão fundas e agradáveis as emoções que experimentei, que esse dia ficou para sempre assinalado como o mais feliz de minha vida pública." Disse que essas emoções lembravam as que experimentava no lar, entre a família. Fez também considerações sobre a *Synthése subjective*, a seu ver o melhor e mais completo tratado filosófico que a ciência matemática possuía: "Consiste fundamentalmente em coordenar em relação à humanidade todos os nossos conhecimentos reais, instituindo, portanto, na escala enciclopédica positiva a subordinação normal de todas as ciências inferiores à sociologia e à moral." Benjamin termina seu longo agradecimento (o rascunho tem 13 páginas) com os lemas positivistas: "Viver às claras. O amor por princípio, a ordem por base e o progresso por fim".

No último dia de aulas de 1888, Benjamin voltou a se referir a esses episódios, dizendo para os alunos que aquele tinha sido para ele um ano cheio de "gratas e fundas emoções", pelas quais seria eternamente agradecido à "digna mocidade da Escola Militar da Corte". Em outro rascunho, relacionado aos mesmos episódios, reafirma que as emoções que sentiu são comparáveis somente às que experimentava no seio da família, "fonte das íntimas alegrias, onde tenho sempre encontrado a animação e o conforto para lutar com vantagem contra as injustiças e os reveses da sorte — tão freqüentes na minha modesta mas já bem longa vida pública".

Essa homenagem dos alunos representou uma enorme surpresa para Benjamin Constant. A promoção recebida não justificava

14. A lista está no Arquivo JB, e o livro encontra-se em exposição no Museu Casa de Benjamin Constant.
15. BC, Esc.Mil./MAGALHÃES, B. C. 8880711. Em anexo, encontram-se os dois documentos mencionados a seguir.

tanta comemoração, ainda mais se levarmos em conta que tinha sido por antigüidade, e não merecimento, e que de forma alguma representava um grande momento em sua carreira militar — à qual, aliás, ele não era nada dedicado. Qual era, portanto, o significado desse episódio?

Benjamin Constant, como vimos no capítulo anterior, era reconhecido fundamentalmente como um professor de matemática — o "Dr. Benjamin" — e como positivista. Sua biografia tinha, como já notamos, diversas características sociologicamente positivas para a cultura da "mocidade militar". Além disso, durante a Questão Militar, havia sido o único professor da Escola a se envolver seriamente nos acontecimentos, razão pela qual veio a ter assegurado um lugar de destaque na criação do Clube Militar. Ele não era, no entanto, um professor "popular" entre os alunos. Não há, em qualquer dos depoimentos de ex-alunos, menção a encontros ou conversas informais fora da sala de aula. Exceto as reuniões a que compareceu durante a Questão Militar e no Clube Militar, todas as referências são à sala de aula. Benjamin, aliás, com seu tempo tomado entre diversos empregos, dificilmente teria tempo livre para permanecer na Escola Militar fora dos horários de aula.

A imagem predominante que seus ex-alunos transmitem é a de um professor de "aspecto severo e grave, (...) atitude quase sempre recolhida e serena, (...) absorto na meditação e no estudo" (Cunha, J., 1924:29), e que "nunca fez entre os alunos propaganda de suas idéias políticas. Era um professor. Dava aula, e mais nada" (Leal, 1939:42). Outro ex-aluno confirma que ele "nunca falava em política e só se preocupava com o seu magistério e com a sua família, a qual assistia desde bem jovem ainda" (Moreira, 1947:73). Era certo, no entanto, que seu ensino de matemática era completamente vinculado à doutrina de Comte, sobre a qual freqüentemente discorria, embora não em seus aspectos religiosos ou políticos. A distração aparece como outra de suas características marcantes: freqüentemente, durante as aulas, "arrebatado pelo assunto, saía do ponto, ia se alongando, abstrato; tocava-lhe, então, de leve, no braço o assistente, e ele caía, logo, no ponto da lição" (Leal, 1939:42). Consta que, fardado, foi visto mais de uma vez de chapéu civil (Cardoso, 1981:91). Um depoimento chega mesmo a falar em acessos de "sonambulismo matemático" afirmando que suas distrações se tornaram "proverbiais" e que, em "muitas ocasiões, tinha realmente o aspecto de um sonâmbulo", ressaltando no entanto seu "modo suave de falar" (Albuquerque, 1981:109-11). Outro depoimento registra a expressão séria, o andar e a fala compassados, o fato de sair à rua sempre vestido de sobrecasaca preta, calça e gravata da mesma cor, ser muito ligado à família, não freqüentar lugares públicos nem beber álcool (Bittencourt, 1936:64-5). Sua imagem era, em resumo, a de uma pessoa "austera, de reverência e respeito" que não permitia proximidades demasiadas à sua personalidade (Cardoso, 1981:91).

As homenagens pela promoção tiveram o efeito de aproximar Benjamin Constant de seus alunos. Os abraços que eles trocaram à saída da sala de aula são o símbolo máximo de uma intimidade que ultrapassava as rígidas barreiras da hierarquia militar e da relação professor-alunos. Todo o episódio, é importante notar, é referido pelo próprio Benjamin em seus agradecimentos como comparável apenas às emoções que vivia *em família*. Como veremos adiante, ele utilizará outras vezes imagens familiares para caracterizar seu relacionamento com a "mocidade militar". O próprio livro que recebeu de presente ressaltava o papel reservado à emoção pelos "científicos", ao mesmo tempo que assinalava uma cumplicidade intelectual entre mestre e alunos em torno do "cientificismo". Todo o ciclo de homenagens representava ainda um contraste formidável entre a maneira como Benjamin via sua situação objetiva de vida — resultado, a seu ver, da junção entre o "caiporismo" que o perseguia e as injustiças que sofria por parte do governo — e a forma desmedida pela qual os alunos o reverenciaram.

Para compreender essas homenagens inusitadas, é preciso perguntar pelo que era esperado em retribuição. Um ex-aluno observa:

> Diante de tais fatos começou Benjamin Constant a sentir a responsabilidade que ia assumir para com a mocidade da Escola Militar, que via em tão eminente vulto nacional todas as esperanças dos seus mais alevantados sonhos sociais e políticos. A reciprocidade de afeição entre discípulos e professor fez nascer em seu espírito um panorama social e político todo novo, transformando completamente sua alma, assim levada a não desamparar essa plêiade de patriotas que se precipitava na Revolução convulsionadora do meio político nacional. Tão salutar entusiasmo fê-lo ter fé na revolução que contava por si tantos corações devotados.[16]

16. Cândido Mariano Rondon, em artigo no *Jornal do Commercio* de 19/11/1939.

Os alunos desejavam, como o trecho acima indica, que Benjamin Constant se tornasse "líder" da "mocidade militar" através de seu engajamento na causa republicana radical, único ponto importante que, na época, os afastava. Durante a Questão Militar, a atuação de Benjamin havia sido contemporizadora — lembremos que acusou Sena Madureira e Cunha Matos de serem "turbulentos que queriam a República". Lembremos também da referência pejorativa que fez, em aula de 1880, à "anarquia mental" existente no estudo das ciências, que se assemelhava "a uma república". Sem dúvida, enquanto positivista, possuía uma certeza científica no irresistível movimento em direção ao progresso, representado pelo regime industrial. Nesse estágio positivo do desenvolvimento futuro da humanidade, mesmo a missão guerreira dos exércitos perderia sua razão de ser. No agradecimento aos alunos que fez ao final das aulas de 1888, Benjamin afirmou ser ao positivismo

> (...) que devemos pedir a luz que deve esclarecer-nos e guiar-nos em todas as situações da vida e muito mais ainda aqueles que como nós pertencem ao Exército nacional. A agitação que fundamente abala o seio da pátria, as felizes tendências dos povos americanos para uma confraternização geral, tudo enfim anuncia os altos destinos sociais e políticos reservados ao Exército brasileiro bem como a todos os exércitos americanos. Os exércitos têm hoje um alto destino a desempenhar: concorrer de concerto com as outras classes para o advento do regime industrial e pacífico, para o fraternal congraçamento dos povos — servindo às instituições em nome dos altos interesses da pátria e da humanidade, e enquanto elas satisfazem a esse nobre objetivo. (...) Daí resulta que mais ainda do que as outras classes precisa aliar à sua conveniente instrução teórica uma sã instrução geral e cívica. Porque há uma ciência que ela deve conhecer muito mais do que a ciência da guerra, é a ciência da paz. Um exército ignorante e sem a conveniente educação moral e cívica, embora perito nas operações de guerra, poderá ser uma boa espada sempre vencedora nas lutas materiais, mas será também uma espada de dois gumes que tanto poderá ferir a pátria, como aos inimigos dela. Um joguete sem consciência posto tanto ao serviço do despotismo e da tirania como ao da santa causa da liberdade e do verdadeiro progresso humano. Um elemento sempre perigoso no seio das nações e tanto mais quanto mais forte e aguerrido for ele e mais sedento de glórias (...) marciais. A sublimidade de sua missão neste século é, como

o da ciência que deve esclarecê-lo e guiá-lo, mais pacífica do que guerreira, mais humanitária do que nacional.[17]

Esse discurso de Benjamin Constant está afinado com a autoimagem da "mocidade militar" como predestinada a ocupar uma posição central na sociedade em função de sua educação científica. Tal papel nada tem a ver com o militarismo, que é rejeitado. O discurso agora não é o da honra militar, tão usado na Questão Militar, e sim o da ciência. A farda é incômoda tanto para Benjamin quanto para os jovens "científicos". Nesse ponto, compartilham das mesmas idéias. Poucos meses depois um aluno escrevia: "Não somos partidários emperrados do férreo regime militar; julgamo-lo mesmo decadente e entendemos que ele cederá o seu lugar à pacífica atividade da indústria nas civilizações mais adiantadas."[18] Tasso Fragoso, que entrou na Escola Militar em 1885, atribuiria posteriormente ao republicanismo o preconceito existente contra a Guerra do Paraguai, que, feita pelo Império, era considerada pelos alunos "uma indignidade e os seus agentes uns criminosos imperdoáveis". Os veteranos da campanha escondiam suas medalhas, "temerosos de que a nova geração as considerasse símbolo de opróbrio. Para concluir daí que a guerra nada valera e nada ensinara, que fora apenas um *vasto rolo*, como se proclamava desdenhosamente em nossa Escola Militar, faltava pouco e esse pouco vencemos sem hesitação, com os protestos dos vivos, e sem dúvida dos mortos" (cf. Araripe, 1960:75). O contraste entre esses pensamentos e o dos principais líderes da Questão Militar, evocando os sacrifícios feitos nos campos de batalha, é notável, e mostra com nitidez o quanto os "científicos" se afastavam da grande maioria do Exército — os oficiais de perfil *troupier*, orientados para a carreira.

Apesar de encontrar eco entre os alunos, o discurso de Benjamin Constant em 1888 ainda era, no entanto, muito *light* para a "mocidade militar". Para os jovens militares republicanos, não era bastante aguardar a evolução inevitável do estágio metafísico da humanidade para o regime industrial e científico; eles pretendiam viver o futuro ainda durante suas vidas — e, de fato, o viveriam. Já estava feita a reforma das idéias, era chegada a "época da ação", como afirmaria o alferes-aluno Tasso Fragoso em um artigo publicado na

---

17. BC, anexo ao documento Esc.Mil./MAGALHÃES, B. C. 8880711.
18. O aluno assina-se "Floridor", em crônica publicada na *Revista da Família Acadêmica*, fev. 1889, p. 63-4.

Revista da Família Acadêmica em maio de 1889; Euclides da Cunha, seu contemporâneo de Escola Militar, fora ainda mais explícito, em dezembro de 1888: "O republicano brasileiro deve ser, sobretudo, eminentemente revolucionário."[19] Faltava convencer um "líder" a assumir esse discurso.

Alguns artigos escritos por Euclides da Cunha em 1888-1889 fornecem ótimos exemplos de como a cultura cientificista da "mocidade militar" se projetava sobre a visão que eles tinham da política.[20] Em primeiro lugar, há que se destacar a certeza absoluta de que os ideais democráticos dos republicanos são científicos — fórmula admiravelmente resumida na afirmação: "Forma-se um democrata como se faz um geômetra."

> Pois bem, a política do século XIX chama-se democracia; de há muito a colaboração de todas as ciências e das tendências naturais de nosso temperamento, despiu-a do frágil caráter de uma opinião partidária, para revesti-la da fortaleza da lógica inquebrantável de uma dedução científica. Em sociologia, eu creio que (...) chega-se a ela tão naturalmente como Lagrange à fórmula geral da dinâmica. Assim, não é uma forma de governo que se adota, é um resultado filosófico que se é obrigado a adotar; forma-se um democrata como se faz um geômetra, pela observação e pelo estudo; e, nessa luta acirrada dos partidos, por fim o republicano não vencerá — convencerá; e, tendo enfim dominado os adversários, não os enviará à guilhotina, mandá-los-á para a escola (Cunha, E., 1966, I:545-6).

A humanidade segue em sua marcha invencível para o futuro, no sentido do progresso. Tal movimento, subordinado à lei geral e

---

19. Artigo de 29/12/1888, publicado n'*A Província de SP* (Cunha, E., 1966, I: 545-7).

20. Euclides nasceu em 1866, no interior da província do Rio de Janeiro, filho de um guarda-livros em fazendas de café do vale do Paraíba. Já ao final do curso secundário, em 1883, Euclides publica, em um jornalzinho dos estudantes, sonetos em homenagem aos grandes vultos da Revolução Francesa. Após cursar um ano da Escola Politécnica, transfere-se, no início de 1886, para a Escola Militar da Praia Vermelha.

natural da evolução, pode ser, no entanto, temporariamente estancado. A duração dessa interrupção gera uma acumulação proporcional de energia. Sobrevém então uma "revolução", que remove o obstáculo, permitindo a retomada do curso tranqüilo da evolução.[21] A universal "lei da concorrência vital", aplicada à situação brasileira, permite distinguir entre "uma sociedade que se decompõe, à proporção que em seu próprio seio, mais robusta e maior, uma outra se desenvolve". A idéia é a de que nossa monarquia não evoluía: sem progredir, sem energia própria, movia-se circularmente, ao impulso inercial da tradição, presa de um tempo social lento, estagnado. A nacionalidade brasileira, durante o século XIX, crescera:

> (...) não pelo íntimo desenvolvimento de sua organização — mas por superposição de camadas, como os corpos inorgânicos, sem que atestasse nisso um acréscimo de vida — e hoje, assoberbada pela própria grandeza de um destino que não pôde realizar, terá de refundir-se à luz vivificante dos novos ideais e reviver unicamente no que tiver de bom em uma outra mais robusta e digna. (...) O advento da República não indicará a vitória de um partido — exprimirá o renascimento de uma sociedade.[22]

A República no Brasil é inevitável, virá mais cedo ou mais tarde: "Hoje, calma, científica, pela lógica, pela convicção: amanhã... Amanhã será preciso quebrar a espada do senhor conde d'Eu" (Cunha, E., 1966, I:555).

Não havia clareza, entre a "mocidade militar", a respeito de como a República vindoura seria organizada. No entanto, se os jovens "científicos" republicanos não sabiam definir exatamente o que queriam, sabiam o que *não* queriam; Euclides da Cunha disse, em um artigo de 1888, que "a virtude mais do que em praticar racionalmente o bem, consiste em racionalmente reagir contra o mal" (Cunha, E., 1966, I:519).

Não há, nos escritos e memórias da "mocidade militar", discussões a respeito do tipo de República que deveria ser implantado. Parece ter sido suficiente saber que se tratava da forma científica de

---

21. Artigo "1889", publicado n'*A Província de SP* de 4/1/1889 (Cunha, E., 1966, I:547-8).

22. Ver "Atos e palavras", conjunto de oito crônicas publicadas n'*A Província de SP* em 1889, em Cunha, E. (1966, I:549-60). O trecho transcrito encontra-se nas páginas 558-9.

governo, aquela onde reinaria o mérito, ordenador de toda a vida social; um regime político, afirma Tasso Fragoso, inspirado no interesse coletivo, com liberdade espiritual e onde "só os competentes fossem escolhidos para as funções sociais" (cf. Araripe, 1960:146). Vimos que Assis Brasil, em seu livro, citava o caso da França, onde da noite para o dia a simples adoção da República teria significado a pronta renovação da sociedade. Os jovens "científicos" republicanos possivelmente pensavam da mesma forma. A falta de definição a respeito de como seria a República facilitou, por um lado, a unidade de pensamento e ação da "mocidade militar" antes do golpe de 1889; por outro lado, ajudou a apressar sua fragmentação tão logo a República foi instituída.

Já foram descritas as conexões do republicanismo da "mocidade militar" com a ideologia do mérito e com as doutrinas cientificistas. Para além desses dois elementos, também é importante, para compreendermos a ação política da "mocidade militar" em suas várias dimensões, perceber que a República exercia sobre ela forte atração *estética*. A imagem da República era, fundamentalmente, uma imagem *feminina*.

As implicações culturais e políticas desse fato já foram analisadas com maestria por Gilberto Freyre (1974) e José Murilo de Carvalho (1990, cap. 4). Para o primeiro, essa "identificação e às vezes confusão sentimental das duas imagens" foi um dos traços mais característicos do desenvolvimento de um "culto da mulher" que chegou a ter expressão política, além de religiosa (I:viii). A imagem da República-Mulher é definida por Freyre como "a idéia ou o sentimento ou a mística de identificação profunda da República messiânica com a Mulher quase deusa" (I:179). Carvalho observa que o uso da alegoria feminina para representar a República, que se opunha simbolicamente à representação da Monarquia através da figura masculina do rei, era um dos elementos marcantes do imaginário republicano francês. Além disso, na doutrina positivista, a humanidade era representada por uma figura feminina. Comte, em sua fase religiosa, chegou mesmo a utilizar o rosto de Clotilde de Vaux, por quem nutria um amor platônico, como modelo para as representações físicas da humanidade. Vimos no capítulo anterior que Benjamin Constant, dentro dessa tradição positivista, escreveu certa vez à mulher, do Paraguai: "Tu és para mim mais, muito mais, do que a Clotilde de Vaux era para o sábio e honrado Augusto Comte" (cf. Mendes, 1913, I:205).

Para Gilberto Freyre, é possível que o fato de o positivismo ter acentuado o culto à mulher "substituísse em vários militares com a vocação para protetores de alguma causa necessitada de proteção amorosamente viril, a ausência de mística monárquica nos meios militares do país" (I:233). Já na República, a imagem da pátria como mulher — ou "mátria", como preferia dizer um ex-aluno da Escola Militar (Castro, A., 1922:7) — ficaria gravada nos versos iniciais do hino do Exército: "Nós somos da Pátria amada/ Fiéis soldados, por ela amados". O exemplo mais ilustrativo vem, no entanto, mais uma vez, do jovem Euclides da Cunha. No dia 16 de novembro de 1889, Euclides, acompanhado de alunos da Escola Militar, foi a uma reunião na casa do major Sólon Ribeiro, para comemorar a República. Nessa reunião, conheceu a jovem Ana, filha daquele oficial, com quem, meses mais tarde, se casaria — e por quem, anos mais tarde, morreria. Ao sair, deixou na mão da menina um bilhete: "Entrei aqui com a imagem da República e parto com a tua imagem..." (cf. Rabelo, 1966:45-6).

A imagem feminina aparece muitas vezes para a "mocidade militar", no plano simbólico, como propulsora da ação. Nas comemorações cívicas, na luta pela abolição ou pela República, há sempre uma imagem feminina — seja ela a República, a Humanidade, a Pátria/Mátria, ou a mulher amada — em nome da qual se age. Por causa desse olhar feminino onipresente, é preciso sempre manter uma postura cavalheiresca, entendida como a ação ao mesmo tempo "nobre" e desinteressada, às vezes com risco da própria vida.

Uma ação desse tipo está no centro do poema "A luva", de Schiller, que José Bevilacqua traduziu exatamente nesse início de 1889, ano que ofereceria, como veremos a seguir, muitas oportunidades para a "mocidade militar" agir de modo a seu ver cavalheiresco. O poema descreve um episódio passado na arena de um circo real, na qual brigavam leões, leopardos e tigres:

> Naquele instante cai a luva duma dama
> Junto aos pés dos animais. A linda Beatriz
> Sorrindo e desdenhosa ao namorado diz:
> Crerei no vosso amor ilustre cavalheiro

Se fores levantar a luva do terreiro.
De chofre ele se ergueu; do circo em meio é já;
Caminha firme; e nem descorado está,
Apanha luva ali e sobe enquanto dura
O pasmo dos que vêem tão súbita loucura.
O moço tornou-se das vistas o único alvo
Rompem gritos, palmas ao verem que ele é salvo.
Vaidosa ao seu encontro se lança Beatriz,
O cavalheiro, porém, a faz parar e diz:
Estou pago do que fiz; de vós não quero nada
Lançou-lhe a luva aos pés; depois desceu a escada.

É possível que José Bevilacqua tenha preparado esta tradução para ser lida em alguma sessão do Clube Acadêmico da Escola Militar, ou para possível publicação em uma revista dos alunos. O "cavalheirismo" dos jovens "científicos" aparece também em um evento que veio a confundir vários autores. Quando D. Pedro II retornava da Europa, em agosto de 1888, alunos da Escola Militar escalaram o Pão de Açúcar e lá colocaram a bandeira nacional e uma faixa de seis metros de comprimento com a inscrição "Salve". Ora, a homenagem não foi iniciativa dos alunos. Uma crônica do "Dr. Alemão" (provavelmente, Lauro Müller) conta que alguns alunos, "animados de um cavalheirismo perfeitamente medieval" colocaram a faixa a pedido e "em nome de algumas senhoras, das mais distintas da nossa sociedade".[23]

Euclides da Cunha foi protagonista, no final de 1888, de um episódio que demonstra o quanto a situação na Escola Militar estava explosiva por essa época.[24] No dia 3 de novembro chegava da Europa o vapor no qual vinha o propagandista republicano Lopes Trovão. Ao entrar na baía de Guanabara, os alunos subiram ao baluarte da Escola Militar e saudaram-no com vivas e acenos de lenço. O comandante, general José Clarindo de Queirós, tentou impedir que os alunos comparecessem ao desembarque, que ocorreria à tarde no

23. *Revista da Família Acadêmica*, janeiro de 1889, p. 349.

24. Para a descrição dos acontecimentos, ver a *Gazeta de Notícias* dos dias 5 e 6/11/1888, além das fontes citadas no texto.

mesmo dia ou na manhã do dia seguinte. Foi marcada uma revista para o final da tarde, ficando assim impedidos os alunos de deixarem a Escola antes das 18 horas, e acertou-se uma visita do ministro da Guerra para a manhã do dia seguinte.

Após a revista da tarde, os alunos se retiraram da Escola levantando vivas a Lopes Trovão e morras a José Clarindo. O pior — ou melhor —, no entanto, ainda estava por vir. Na manhã do dia seguinte, durante a formatura matinal, era visível a má vontade geral. Em seguida, os alunos foram obrigados a seguir para a capela da Escola, onde se realizaria uma missa de comparecimento obrigatório. O que se seguiu demonstra exemplarmente o quanto os alunos "científicos" prezavam a liberdade espiritual. Uma testemunha ocular, aluno à época, conta o que se passou:

> Ao toque de avançar, foram os pelotões subindo para a capela, em colunas cerradas, a passos cadenciados, batendo pesadamente com os pés e com as coronhas das armas. O barulho crescia, com a chegada de outros pelotões, e tornara-se afinal, irreverentemente significativo. O general, que, de junto ao altar, assistia, com o seu estado-maior, a entrada dos alunos, fora a princípio empalidecendo, para em seguida tornar-se lívido, quando irrompera forte vozerio, denunciando perigo iminente, por estar abatendo o soalho. Seguira-se a confusão, a desordem, a retirada em debandada, a gritaria, quase assuada. Eis em que dera os rigores de um chefe que pretendera impor a crença religiosa oficial. Nunca mais se cogitara de missa (Moura, 1936:40).

Ao final da manhã, quando o ministro chegou para a visita, os alunos recusaram-se a fazer uma exibição de esgrima, ordenada pelo comandante, sob o argumento de que não podiam esgrimir após o almoço. Depois, quando os alunos desfilavam em continência ao ministro, Euclides da Cunha "saiu de forma sem licença e atirou ao chão a carabina e o sabre-baioneta, depois de o haver procurado quebrar", como informa um documento oficial.[25] Segundo algumas fontes, Euclides teria ainda afirmado que fizera aquilo por estar com direito ao título de alferes-aluno sem ter sido promovido, e também

---

25. Carta da secretaria da EMPV a Benjamin Constant, datada de 6/12/1888, convidando-o a fazer parte do Conselho de Disciplina que se reuniria no dia seguinte para julgar a falta cometida por Euclides da Cunha (BC, Esc.Mil./alunos 8881206).

porque era republicano (Moura, 1936:41), ou apenas por causa do título (Rabelo, 1966:39). É possível que um protesto nesse sentido tivesse sido combinado por um grupo de seis ou sete alunos, que esperavam que os demais os seguissem, mas na hora só Euclides o executou (Correia, 1939:185). Posteriormente, Euclides teria dito a um amigo que havia um plano de levante que incluía prender o Imperador e proclamar a República (Cunha, 1984:27). O fato é que o chefe do serviço de saúde recolheu Euclides para a enfermaria da Escola, afirmando que ele devia estar sofrendo de esgotamento mental por causa dos estudos; mais tarde, seguiu preso para a Fortaleza de Santa Cruz e, dias depois, foi expulso da Escola.

Mas o dia ainda não terminara para os alunos. Enquanto o comandante acompanhava o ministro até a saída, partiram da 2ª Companhia vivas a Lopes Trovão. O comandante voltou, mandou formar a Companhia e, não conseguindo descobrir de quem partiram os vivas, responsabilizou aqueles que estavam em funções de comando. Nesse momento, partiram vivas idênticos da 4ª Companhia, repetindo-se a ordem do general e sua intimação. Em seguida, os mesmos vivas partiram da 8ª Companhia, após o que o comandante se retirou da Escola. Depois desses acontecimentos, informam os jornais, o ministro da Guerra reuniu-se com o ajudante-general do Exército para abertura de inquérito. Falava-se na possibilidade de extinção da Escola Militar e na criação de outro estabelecimento, bem como na possível exoneração de José Clarindo do comando da Escola.

O clima de revolta na Escola Militar era alimentado, no final de 1888, pelo fato de existirem três turmas de candidatos habilitados ao título de alferes-aluno — alguns desde 1886 — sem que o governo efetivasse a promoção. Outros incidentes disciplinares que ocorreram, nesses anos, estavam relacionados à não-efetivação dos títulos de alferes-aluno. Hastimphilo de Moura, por exemplo, narra que na companhia onde era sargenteante — isto é, onde cumpria tarefas de serviço auxiliares ao comandante da companhia — havia vários alunos do 3º e 4º anos ainda praças-de-pré mas já com direito ao título de alferes-aluno; por esse motivo, "se julgavam merecedores de certas regalias, como por exemplo a dispensa de revistas" (1936:33). Certa vez, esses alunos tiveram uma "explosão de indisciplina" com o rigoroso oficial subalterno encarregado da revista noturna: apagaram as luzes, vaiaram o oficial e, aproveitando-se da escuridão e confusão reinantes, agrediram-no com toalha molhada e pedradas. O comandante da Escola, sem ter conseguido identificar os agressores, demitiu os quatro alunos sargenteantes da companhia — punição que foi, posteriormente, cancelada. Houve também casos individuais de protesto pela não-promoção. O aluno Cândido Mariano Rondon, certa vez, requereu individualmente sua promoção atrasada a alferes-aluno e, por pouco, não foi punido (Viveiros, 1958).

Se lembrarmos da excepcional importância simbólica e material que o título de alferes-aluno assumia para os alunos, poderemos compreender que essa situação lhes causava "profundo desgosto", ainda mais agravada pelas "convicções francamente republicanas da quase totalidade" deles (Moura, 1936:41). É relevante ainda notar o paralelismo entre a insatisfação de Benjamin Constant com sua não-promoção a professor catedrático e a dos alunos com a demora na promoção a alferes-aluno.

No início de 1889, Deodoro estava "desterrado" em Mato Grosso, Sena Madureira morto e o clima no Exército estaria calmo, não fosse a situação explosiva na Escola Militar. Para neutralizá-la, o governo tomou diversas providências: efetivou as promoções a alferes-alunos atrasadas, dividiu a Escola Militar em duas e procurou cooptar Benjamin Constant.

Foi criada uma Escola Superior de Guerra (ESG), para onde os cursos das armas "científicas" — portanto, todos os alferes-alunos — foram transferidos, permanecendo na Praia Vermelha apenas os cursos de infantaria e cavalaria.[26] Segundo o relatório do ministro da Guerra de 1889, a criação da nova escola faria desaparecer a "promiscuidade" hierárquica entre alunos praças-de-pré e alferes-alunos, segundo ele, muito prejudicial à disciplina. José Bevilacqua, escrevendo aos pais (em 9/2/1889), atribuiu a essa reforma do ensino militar "o cunho de todas as reformas dos tais senhores bacharéis em direito: para pior"; escrevendo em maio a uma tia, em

26. Essa Escola Superior de Guerra, extinta em 1898, não guarda nenhuma relação histórica ou semelhança com a de mesmo nome, criada em 1949, que existe até hoje.

francês, ele fala de "une monstruosité de réforme de l'instruction militaire avec la quelle le pansu et ignorant ministre se moqua de la nation et des élèves". Segundo outro ex-aluno, "parecia estar tudo subordinado a um pensamento velado: dividir, para enfraquecer" (Moura, 1936:45). O editorial de março da *Revista da Família Acadêmica* diz que a divisão é devida ao fato de que na Escola se "vê, sente, pensa em tudo que se dá neste país", onde "as fardas são talhadas, à medida, para o corpo do cidadão". Após relembrar a fuga coletiva dos alunos para comparecerem ao desembarque de Deodoro em 1887 — "fato brilhante e repassado de moral" —, o editorial conclui: "No atual momento histórico, a Praia Vermelha tem tido o desaforo de agir benéfica e patrioticamente, deve ser desmembrada; de acordo. O desmembramento é todavia um fato, mas nunca será um fato moral; e o dizemos em nome do brio e sentimento dos que ficam e da saudade dos que vão".

A notícia da nova escola não esfriou os ânimos na Escola Militar. Em fevereiro, durante uma formatura, um oficial fez elogios e apresentou agradecimentos, em nome dos alunos, ao ministro da Guerra Tomás Coelho, que estava presente. Em resposta, 16 alunos fizeram publicar uma nota em jornal afirmando que não partilhavam das opiniões do oficial.[27] Uma carta (de 12/3/1889) que José Bevilacqua recebeu do colega e também alferes-aluno Aníbal Cardoso, que estava fora do Rio, dá uma idéia do clima de perseguição que os alunos imaginavam estar sofrendo por parte do governo, e do perigo que estariam correndo nesse início de 1889. Aníbal menciona "esse vulcão em que se acham vocês. Toda cautela será pouca: sair de casa o menos possível; não alterar os hábitos, etc". Termina dizendo que agora desejava ter notícias deles todos os dias, "em razão do perigo em que estão".

Se o objetivo do governo era mesmo, como parece, neutralizar o radicalismo dos jovens "científicos", o tiro saiu pela culatra. A ESG foi instalada em um edifício no bairro de São Cristóvão, próximo aos quartéis do 1º Regimento de Cavalaria e do 2º Regimento de Artilharia, duas das unidades militares mais poderosas da Corte. Como não havia regime de internato na ESG, os alferes-alunos para lá transferidos foram morar em "repúblicas". Em pouco tempo, estreitaram laços de camaradagem com os oficiais inferiores das

---

27. *O País*, 6/2/1889. A explicação do episódio está em Correia (1939:196).

unidades sediadas no bairro, a grande maioria deles também ex-alunos "científicos" da Escola Militar. Todos estarão juntos na assinatura dos "pactos de sangue" e no movimento insurrecional. São Cristóvão torna-se, portanto, em 1889, um reduto da "mocidade militar".

O governo procurou também por diversos meios cooptar Benjamin Constant. Transferidos para a nova escola, os repetidores da Escola Militar finalmente tiveram a tão esperada nomeação para catedráticos.[28] Além disso, o governo ofereceu a Benjamin o cargo de vice-diretor da ESG, que acumularia com os vencimentos de lente, e mais o título de conselheiro. Em 25/2/1889, Benjamin escreveu à mulher, de férias com a família em Lambari: "Fiquei aborrecidíssimo com essas notícias, pois não desejo nem uma coisa nem outra. Estou pensando no meio de evitá-las." Dois dias depois, avisou que conseguira recusá-las de maneira polida, em reunião com o ministro.[29]

A nomeação a lente catedrático aliviaria a difícil situação financeira de Benjamin. O cargo de vice-diretor da ESG, no entanto, representaria, além de um vencimento adicional, prestígio e algum poder; como se não bastasse, havia ainda a oferta, segundo o ministro da Guerra já aceita pelo ministério, de concessão do título de conselheiro. Por que Benjamin recusou essas ofertas? Em primeiro lugar, há que se notar que seu desgosto com o governo, fruto de longa insatisfação profissional, parecia haver chegado a um ponto sem volta. Quando foi finalmente nomeado lente catedrático, Benjamin, em uma nota pessoal de 27/4, observou apenas que "há quinze anos devia ter sido feita esta nomeação, adiada até esta data" (cf. Mendes, 1913, I:337). A essa mágoa somara-se, nos últimos meses, mais uma frustração com o governo por causa do novo regulamento que fora baixado para a Escola Normal. Segundo Benjamin, o antigo regulamento estava muito mais consoante com a "verdadeira evolução da humanidade" do que o novo. Além disso, foi publicado sem que o corpo docente tivesse conhecimento prévio,

28. Para a lista dos professores e instrutores, ver Dudley (1972:505-6). É importante observar que Serzedelo Corrêa também aparece como professor e, como coadjuvantes de ensino, quatro tenentes republicanos: Jaime Benévolo, José Maria de Beaurepaire Pinto Peixoto, Augusto Ximeno de Villeroy e Lauro Müller.

29. As cartas encontram-se em FBC/MJ.

fato que Benjamin considerou uma "desatenção injustificável" por parte do governo, "um desacato às corporações docentes e uma ofensa gratuita feita a elas".[30] A reforma levaria Benjamin a pedir sua jubilação da Escola Normal, em agosto de 1889.

Caso aceitasse o título de conselheiro e o cargo de vice-diretor da ESG, Benjamin certamente perderia todo o prestígio de que desfrutava perante a "mocidade militar" e seus alunos em particular, dos quais recebera, como vimos, grandes manifestações de apreço há poucos meses. É interessante notar que, no único dia que se passou entre as ofertas do governo e sua recusa, ele recebeu a visita de Serzedelo Corrêa, com quem conversou sobre a reforma da Escola Militar.[31] Benjamin preferiu continuar sendo o "venerando mestre" dos jovens oficiais "científicos". Estes, por seu lado, continuaram agindo tendo em vista antecipar a chegada da República.

Em 7/6/1889 subiu ao poder o ministério liberal chefiado por Afonso Celso de Assis Figueiredo, o visconde de Ouro Preto, que seria o último do Império. No dia 11, por ocasião da apresentação do novo gabinete à Câmara dos Deputados, o padre João Manuel, deputado pelo Rio Grande do Norte, fez um discurso contra o regime, finalizado com a exclamação: "Viva a República!" Das galerias da Câmara, o capitão Serzedelo Corrêa, fardado, era um dos que mais aplaudiam e respondiam ao viva. Ele narra que, neste momento, "senti com força puxarem-me a farda. Voltei-me; era o ajudante-general do Exército, marechal Floriano. Julguei-me preso. Ele, porém, risonho, disse-me ao ouvido: — Capitão, como isso vai depressa!..." (Corrêa, 1919:18-9).

O novo gabinete tomou diversas iniciativas na área militar. Por um lado, fato que não ocorria desde 1881, colocou dois militares nas pastas militares: na do Exército o marechal Rufino Enéas Galvão, barão de Maracaju, e na da Marinha o almirante José da Costa Azevedo, barão de Ladário. Além disso, colocou como ajudante-general o brigadeiro Floriano Peixoto, veterano da Guerra do Paraguai, oficial muito estimado por seus colegas.[32] Essas nomeações

30. BC, Esc.Nor./ref. 8830312.

31. FBC/MJ, carta à mulher, de 26/2/1889.

32. Floriano nasceu em 1839, num engenho do interior de Alagoas, vindo para a Corte para seguir o curso da Escola Militar. Tenente ao seguir para o Paraguai, foi promovido na guerra a capitão e major. Era, portanto, um oficial da *war generation*. Chegou a coronel em 1874 e a brigadeiro em 1883. Politicamente, era ligado aos liberais.

foram interpretadas como sinais de que Ouro Preto se preparava para lidar com possíveis problemas na área militar. Ele não imaginava, no entanto, que a desilusão de Floriano para com a política podia ser grande, e que numa hora decisiva ele ficaria ao lado dos companheiros de armas contra os "casacas", como sugere uma carta que Floriano escreveu em 10/7/1887 a um amigo, a respeito da Questão Militar:

> Vi a solução da questão da classe, excedeu sem dúvida a expectativa de todos. Fato único, que prova exuberantemente a podridão que vai por este pobre país e, portanto, a necessidade da ditadura militar para expurgá-la. Como liberal, que sou, não posso querer para o meu país o governo da espada; mas não há quem desconheça, e aí estão os exemplos, de que ele é que sabe purificar o sangue do corpo social, que como o nosso está corrompido (cf. Cameu & Peixoto, 1925:33-4).

Outras escolhas de Ouro Preto desagradaram aos militares: o senador Cândido de Oliveira, antipatizado por sua postura na Questão Militar, na pasta da Justiça, e o comando da Guarda Nacional para o irmão de Maracaju, barão do Rio Apa. Esta última nomeação favoreceu os rumores de que Ouro Preto pretendia fortalecer a Guarda Nacional no contexto de um amplo plano de enfraquecimento do Exército. Essa idéia, aliás, embora muito exagerada pelos republicanos, não era totalmente falsa. Futuramente, Ouro Preto reconheceria que a reorganização da Guarda Nacional e da Polícia "visava também não deixar o governo à mercê da força de linha [o Exército], absolutamente sem outra qualquer em que se apoiasse para, se mister fosse, prevenir ou conter-lhe os desmandos" (Ouro Preto, 1891:94). E mais:

> Eu sabia que a tarefa com o Exército não seria fácil (...) Mas não fui imprevidente e procurei cercar-me dos elementos que mais confiança me inspiravam. Tinha em grande conta o general Floriano, que meu irmão, quando ministro da Guerra, promovera a esse posto; apreciava muito o general Enéas, em cuja firmeza confiava; aumentei o corpo de Polícia com gente escolhida; comecei a organizar a Guarda Nacional. Todas essas medidas não eram contra o Exército, mas contra o espírito de insubordinação que no meio dele pudesse ressurgir e para reforçar a sua ação na defesa das instituições ameaçadas (cf. Monteiro, 1913:222-3).

No Clube Militar, em 11/7/1889, foi eleita uma chapa encabeçada por Deodoro (presidente) e Benjamin Constant (vice), na ausência do primeiro. O *quorum* de apenas 30 membros, a maioria oficiais inferiores, mostra que o Clube andava em estado de abandono (Dudley, 1972:524). Essa inatividade, no entanto, menos que sinal de desmobilização política, sugere que o Clube era um espaço mais virtual que real, a ser ocupado apenas para se evocar a "classe militar".

Continuava forte a agitação dos jovens "científicos" republicanos. Em julho de 1889 o conde d'Eu está em Belém, em viagem de propaganda da Monarquia. O tenente Lauro Sodré, que lá servia, foi designado para comandar a guarda de honra, o que cumpriu; mas à noite, no Clube Republicano, fez violento discurso, ato que lhe valeu, como punição, ser transferido.

Em 14 de julho de 1889, no Rio, os republicanos comemoraram o centenário da Queda da Bastilha com uma aglomeração em frente ao Clube Tiradentes, seguida de uma caminhada até o Congresso Nacional, onde foi realizada uma sessão. Depois, na rua do Ouvidor, algumas pessoas deram vivas à República, e a manifestação foi reprimida por um piquete de cavalaria da Polícia, secundado por membros da Guarda Negra, que, armados de cacetes, tentaram acertar Lopes Trovão.[33] Nesse momento, ouviram-se tiros de revólver, que feriram algumas pessoas. São interessantes os depoimentos de dois feridos, reproduzidos na *Gazeta de Notícias* do dia seguinte. Um deles declara que, "estando a tomar café no Café Brasil quando ouviu gritos de viva a República e chegando à porta, deu ele um viva à Monarquia, sendo nessa ocasião agredido por alunos da Escola Militar, e agarrando-o um deles disse para os companheiros: 'Mata este diabo', recebendo nesse momento o ferimento que apresenta". Outro ferido confirma que os tiros partiram "de um

---

33. A Guarda Negra teria surgido em 1888, por iniciativa de José do Patrocínio. Seus membros seriam ex-escravos agradecidos à princesa Isabel pela abolição; sua missão, perturbar as conferências republicanas e coagir os adeptos da República. Segundo artigos de Rui Barbosa publicados no *Diário de Notícias* de 7 e 19/5/1889, a Guarda teria entre 1.500 e 1.600 homens, recrutados entre marginais e empregados domésticos, e com cobertura velada da Polícia.

grupo de moços limpos, entre os quais se achavam alguns estudantes da Escola Militar". Através das recordações de um ex-aluno da Escola Politécnica, ficamos sabendo o nome de alguns desses alunos da Escola Militar que, fardados e armados, defenderam os manifestantes: José Bevilacqua, Tasso Fragoso, Aníbal e Saturnino Cardoso (cf. Correia, 1939:122-3).

A "mocidade militar" permanecia, portanto, no terreno da radicalização, e ansiosa por ação. Em abril, o alferes-aluno Agostinho Raimundo Gomes de Castro escrevera: "É preciso que haja um sacrifício enorme da parte do povo para que a moralidade se imponha na política nacional! Torna-se necessária uma força de intensidade tal que desvie o curso maléfico das coisas e dos homens!"[34]- Tasso Fragoso, escrevendo no mês seguinte, após afirmar que "é chegada a época da ação", diz que a força social que levará à "vitória final de nossas opiniões, da filosofia que há de dirigir o Brasil", ainda está "no meio da encosta"; falta caminhar até o final, "convictos que obedecemos à fatalidade de uma lei, fatalidade que é a nossa força e a nossa esperança, que se nos impõe uma determinada atividade, acalanta o nosso ideal".[35] Em 19 de agosto, escrevendo aos pais no mesmo espírito, José Bevilacqua afirma que não há nada de novo, "salvo a indefectível politicagem que segue seu nefasto caminho sempre desassombrosa!" Muito breve, porém, a situação irá mudar, a favor da "mocidade militar".

34. "Reflitamos um pouco", artigo na *Revista da Família Acadêmica*, abril de 1889.
35. "Um ano depois", artigo na *Revista da Família Acadêmica*, maio de 1889.

7
Em Busca da Terra da Promissão

"Mestre, sede o nosso guia em busca da terra da promissão — o solo da liberdade!"

Mensagem dos alunos da Escola Militar a Benjamin Constant, 26/10/1889

No dia 13 de setembro de 1889, Deodoro voltou à Corte, mais irritado com o governo do que quando partira para Mato Grosso, por dois motivos. Primeiro, pela nomeação do coronel Cunha Matos — o mesmo da Questão Militar — para ocupar o posto de presidente da província. Com isso Deodoro, um marechal, ficaria, enquanto comandante das Armas, subordinado a um coronel — com o qual, aliás, não simpatizava.[1] A bem da verdade, Cunha Matos levava para Deodoro uma afetuosa carta do ministro da Guerra, o visconde de Maracaju, primo da mulher de Deodoro, informando que ele seria exonerado do comando das Armas no próximo despacho imperial e que em breve seria chamado de volta à Corte. De qualquer forma, o procedimento melindrou bastante Deodoro, que não esperou a exoneração: embarcou, no mesmo dia, para a Corte.

Outro ato do governo que desgostou profundamente a Deodoro foi a nomeação do senador Gaspar da Silveira Martins — seu desafeto pessoal e político — para a presidência do Rio Grande do

---

1. Cunha Matos, no início da década de 1880, havia atacado pelos jornais seu subalterno, major Jacques Ourique, que depois acompanharia Deodoro a Mato Grosso. A confiar nas informações de Dudley (1972:386-7), Cunha Matos manteve, em sua briga com Ourique, uma postura nada ética.

Sul. Deodoro soube da nomeação durante a viagem de volta. Ainda a caminho da Corte, foi informado de que Silveira Martins, pouco depois de assumir, desligara vários alunos da Escola Militar de Porto Alegre e dois professores, os capitães Vespasiano de Albuquerque e Silva e Francisco Alberto Guilhon. A justificativa era a de que as demissões se deram "a bem da ordem e da disciplina"; na verdade, tratava-se de diminuir a influência do republicanismo entre os jovens oficiais. Uma carta de Júlio de Castilhos a Quintino Bocaiúva, por exemplo, apresentava o "patrício e correligionário Raimundo de Abreu Filho, que acaba de abandonar as fileiras do exército, escapando à fúria reacionária com que o conselheiro Gaspar, presidente desta província, está punindo o civismo da mocidade militar".[2] Mesmo antes dessa nomeação, Deodoro já estava preocupado com a influência de Silveira Martins junto à guarnição do Rio Grande. No início do ano, soube, pelos jornais, que Silveira Martins festejara a promoção a major do capitão João de Sousa Castelo, oficial outrora próximo a Deodoro; em retribuição, Silveira Martins foi vivamente saudado em público tanto pelo promovido quanto pelo coronel comandante do 13º Batalhão de Infantaria (Correia, 1939:195-6).

Deodoro voltava, ainda, triste com a morte de seu irmão Severiano (em março). Seu estado de espírito é visível em uma entrevista que concedeu, de passagem por Santos.

> — As eleições me surpreenderam. Eu sempre contei que o governo fizesse dois terços da Câmara e que os conservadores e republicanos fizessem o terço. Que fim levaram os republicanos? Nas províncias do Sul, pelo menos, o Partido Republicano foi o único que se apresentou em campo, disputando galhardamente a vitória às forças do governo. Os conservadores abandonaram a arena.
> — É exato. Os conservadores se mostraram medrosos, fracos e traidores. V. Excia. é conservador?
> — Era conservador, porque só os conservadores protegeram ao

---

2. Carta de 28/8/1889, localizada no Arquivo Quintino Bocaiúva (CPDOC/FGV), QB/cp 870.12.03, pasta 12. É interessante observar que tanto o capitão Vespasiano quanto o aluno Raimundo de Abreu Filho — e possivelmente outros desligados da Escola Militar de Porto Alegre — seguiram para o Rio de Janeiro, onde participaram da agitação republicana da "mocidade militar". Ambos foram, por exemplo, signatários de "pactos de sangue" a Benjamin Constant.

> Exército. Não a mim, que só tive um protetor — Solano López. Devo a ele, que provocou a Guerra do Paraguai, a minha carreira. Era conservador, mas votei em Osório, em Porto Alegre, em Beaurepaire-Rohan. Há três republicanos em que votaria de bom grado, três moços distintos da minha província: Assis Brasil, Ramiro Barcelos e Júlio de Castilhos.[3]

A referência ao Rio Grande do Sul como "a minha província" e o elogio a três políticos republicanos gaúchos — opositores ferrenhos de Silveira Martins — mostram o quanto as questões da política rio-grandense mobilizavam Deodoro. Outro ponto não menos interessante da entrevista é a referência a Solano López como seu "protetor". Se a entrevista mostra um Deodoro que acompanhava atentamente as questões político-partidárias gaúchas, na referência à Guerra do Paraguai vemos o discurso por excelência de um militar *troupier* que se orgulhava de sua dívida para com a carreira das armas. Essas duas características se farão claramente presentes, como veremos a seguir, durante os dois meses decorridos entre sua volta à Corte e o golpe de 15 de novembro.

No dia seguinte à volta de Deodoro, ocorreu um fato em si pouco importante, mas que os jovens oficiais republicanos souberam explorar politicamente, iniciando um processo de radicalização que levaria ao golpe. Durante visita ao Tesouro, o visconde de Ouro Preto não encontrou em seu posto o comandante da guarda, tenente Pedro Carolino, que estava dormindo — versão de Ouro Preto — ou no banheiro — versão do militar.[4] O tenente foi imediatamente punido com prisão por Ouro Preto.

O caso era pequeno e o oficial em questão "bem pouco estimado dos seus colegas", como revela Ximeno de Villeroy (1928:95). Mesmo assim, na falta de algo melhor, servia de pretexto para que a "mocidade militar" tentasse gerar uma nova Questão Militar. Já no

3. Entrevista publicada no *Diário da Manhã* de 12/8/1889 (cf. Correia, 1939: 204).
4. A versão de Ouro Preto está em seu livro (1891:89-90); para a de Carolino, ver *O País* e *Diário de Notícias* dos dias 15 a 18/9/1889.

dia 15, *O País* e o *Diário de Notícias* aproveitavam para criticar a "ignorância" de Ouro Preto em relação a procedimentos militares, afirmando que ele deveria, antes disso, ter se comunicado com o superior imediato do tenente.

Contaremos, a partir de agora, com uma nova fonte, algo inusitada porém preciosa, para conhecermos mais sobre os passos de Benjamin Constant desde a volta de Deodoro até o golpe: o diário de sua filha Bernardina, então com 16 anos.[5] Pelas anotações da menina, ficamos sabendo que Benjamin não pôde comparecer ao desembarque de Deodoro por estar doente, e que continuava doente em casa quando, dia 15 de setembro, recebeu a visita do "militar Jaime Benévolo, que veio falar com papai sobre, segundo nos parece, uma nova questão militar, por ter o presidente do Conselho preso injustamente um oficial".[6] O modo como Bernardina se refere a Benévolo parece indicar que não o conhecia; talvez ele estivesse indo pela primeira vez à sua casa. No dia seguinte, volta Benévolo à casa de Benjamin "com o mesmo fim que ontem"; à noite, aparece um aluno da ESG, "que veio tratar da nova questão militar" — registra Bernardina.

No dia 16, foram publicadas cartas de Carolino a seu superior-de-dia e ao presidente do Clube Militar, dizendo-se injustiçado e ultrajado por Ouro Preto. É possível que Carolino tenha sido estimulado por outros jovens oficiais a escrevê-las, pois o *Diário de Notícias* do dia já registra a ocorrência de "solidariedade militar" ao tenente. Datado do mesmo dia há um requerimento de 40 sócios do Clube Militar a Deodoro, pedindo que convocasse uma sessão extraordinária "para tratar-se de negócio urgente e relativo aos direitos e garantias da classe" (cf. Correia, 1939:205). Examinando-se o nome dos signatários (lista em Mendes, 1913, II:215), vê-se que todos são tenentes ou alferes-alunos; pelo menos 23, alunos da ESG, e 30 em breve assinarão os "pactos de sangue" a Benjamin Constant. Pode-se afirmar, portanto, que o documento era assinado pela "mocidade militar", desejosa de explorar ao máximo o incidente — a referência aos "direitos e garantias da classe" não deixa dúvidas.

---

5. O diário de Bernardina cobre o período de 7/8 a 28/11/1889 e encontra-se no Museu Casa de Benjamin Constant, fundo FBC.
6. Jaime Benévolo era, nessa época, tesoureiro do Clube Militar.

Esse requerimento muito provavelmente foi apresentado a Benjamin por Jaime Benévolo durante suas visitas de 15 e 16 — antes, portanto, de ser entregue a Deodoro. Benjamin escreveu, nesses dias, um bilhete a Deodoro que possivelmente encaminhava o requerimento:

> Por achar-me doente não fui cumprir o muito grato dever de manifestar mais uma vez a V. Excia. e a sua Exma. esposa os protestos de minha elevada estima e consideração, felicitando-os por sua chegada a esta Corte, o que farei assim que puder sair. Um acontecimento lamentável dado entre o Sr. ministro da Fazenda e um oficial do nosso Exército parece-me digno de um protesto por parte do Clube. V. Excia., com o seu reconhecido critério e devotado amor à classe da qual V. Excia. é um dos mais belos ornamentos, resolverá a respeito. Adiro desde já à resolução que V. Excia. tomar em nome da classe (cf. Mendes, 1913, I:342-3).

A referência a "um oficial do nosso Exército" e a antecipação de um "protesto" em nome da "classe" mostram claramente que Benjamin endossara o espírito do requerimento dos jovens oficiais. Um rascunho do bilhete, localizado em seu arquivo, revela que, antes de escrever "parece-me digno", Benjamin tentara a forma mais enfática "parece-me exigir".[7] Essa substituição sugere que Benjamin imaginava ser o termo forte demais para Deodoro, talvez pela distância hierárquica que separava os dois, talvez pela postura exaltada que revelava. De fato, a resposta, no dia 17, foi um curto e seco "por hora não há necessidade de reunir-se a sessão pedida", anotado por Deodoro no próprio requerimento (cf. Mendes, 1913, I:342).

Os jovens oficiais signatários do requerimento não se conformaram com a recusa de Deodoro, principalmente porque, como observa Ximeno de Villeroy (1928:96), de acordo com os estatutos do Clube, em vista do número de sócios requerentes, a sessão não poderia deixar de ser convocada. Voltaram então a Benjamin, ainda doente em casa. Bernardina registrou a visita, dia 18, de um aluno da ESG, e dia 19, de mais dois; dia 20, voltou Benévolo, que "veio falar com papai sobre o incidente militar". Villeroy (1928:97) diz que Benjamin aconselhou que se acatasse o despacho de Deodoro,

---

7. BC/Club.Mil. REP 0000000/1.

prometendo entender-se com ele sem demora. De fato, Bernardina registra que, no dia 22, após uma visita de Benévolo, Benjamin foi à casa de Deodoro "e trouxe a boa notícia de que ele está disposto a presidir o Clube, ficando o papai livre disto". No dia 23, visita de Benévolo com mais um companheiro, recebidos privadamente por Benjamin. A 25, Benjamin retoma sua aula na ESG. A 26, nova visita de Benévolo.

Descrevi detalhadamente os últimos acontecimentos, por dois motivos. Primeiro, eles mostram a "mocidade militar", já bastante radicalizada, indo a Benjamin em busca de apoio para a reedição da Questão Militar. O radicalismo político dos jovens "científicos" foi apontado diversas vezes no decorrer deste livro. Um novo documento, por ser exatamente deste período e bastante explícito, é de particular interesse: a carta que José Bevilacqua recebeu de um colega do Pará, do dia 24. Ele diz ser preciso pôr um limite no atual estado de coisas do país, o que será feito pelos "audaciosos", que suprem o pequeno número pela coragem. O limite seria o fim do 2º Reinado: "É mesmo este o pensamento agitado pelos republicanos, mas tenho receio que o 3º reinado nos venha surpreender com essa idéia sem nada termos feito. É preciso, em resumo, uma arregimentação armada, em todas as províncias de 1ª ordem, vigilante e pronta para o momento assinalado."

Além da confirmação do radicalismo político da "mocidade militar", o mais importante da movimentação em torno do "incidente Carolino" é, nesse encontro com os jovens "científicos" republicanos, a crescente radicalização política de Benjamin Constant. A confiarmos no depoimento do alferes-aluno Tasso Fragoso a Teixeira Mendes, à época do incidente, "apesar do excepcional entusiasmo que os discípulos de Benjamin Constant lhe votavam, não suspeitavam eles que o emérito professor viria brevemente corresponder às suas aspirações republicanas" (Mendes, 1913, I:341). E, mais adiante:

> Benjamin Constant tinha recebido os seus discípulos nessa ocasião com as afáveis maneiras que lhe eram habituais e lhes tinha declarado que estava pronto a presidir à sessão [do Clube Militar]. Falou-lhes da situação do país, pintando apaixonadamente a degradação a que nos expunha o ministério Ouro Preto, cujo objetivo principal era conter a torrente republicana. Esta confidência foi para os moços uma surpreendente revelação. Pela primeira vez a sua imaginação cívica começou a futurar que Benjamin Constant

era o homem indicado pela evolução brasileira para tornar-se o órgão das aspirações nacionais (cf. Mendes, 1913, I:343).[8]

Como veremos a seguir, toda a ação da "mocidade militar" — agora contando com o envolvimento de Benjamin Constant — será no sentido de forjar uma continuidade da Questão Militar de 1886-1887 com o "incidente Carolino". Esses dois momentos não são parte de uma mesma "questão", como geralmente se supõe: não para Deodoro, que não queria fazer a reunião; também não para os poucos oficiais superiores envolvidos na Questão Militar, que agora — à exceção de Benjamin — não estavam presentes. A Questão Militar de 1886-1887 foi fundamentalmente corporativa, apesar do desejo da "mocidade militar" de radicalizá-la; a "questão" de 1889 é republicana e envolve, até poucos dias antes do golpe, uma parcela ainda menor do Exército.

Por essa época, setembro-outubro de 1889, confluiu para a Corte um pequeno grupo de oficiais que viria a ter papel importante na eclosão do golpe, atuando principalmente junto a Deodoro. No dia 28 de setembro chegou ao Rio o major Frederico Sólon de Sampaio Ribeiro.[9] Com 46 anos, filho de um fazendeiro ligado aos liberais, Sólon passara a maior parte de sua vida no Rio Grande do Sul. Parece ter sido sempre politicamente radical. Em 1861, durante o curso da Escola Central, foi desligado juntamente com outros alunos por manifestações de simpatia ao manifesto contendo críticas à política imperial feito por Teófilo Otoni, eleito deputado por Minas Gerais. Sólon lutou no Paraguai, servindo na cavalaria. Da guerra, escreveu cartas à mulher que revelam seu desgosto com a situação do Exército. Em 4/2/1867, afirma que "o país é muito ingrato, há sete anos sou alferes tendo entrado em uma batalha e

---

8. Essas revelações foram, segundo se infere de um depoimento posterior de Ximeno de Villeroy — bastante semelhante à versão de Teixeira Mendes —, posteriores à recusa de Deodoro em convocar a sessão e anteriores à visita de Benjamin a Deodoro (Villeroy, 1928:96-7); portanto, entre os dias 17 e 22 de setembro.

9. Para dados biográficos de Sólon, consultei documentos no IHGB (lata 557).

quatro combates sem remuneração a tudo isto". Pouco depois, Sólon se dizia "desgostoso com as injustiças que tenho sofrido do governo, mas como eu não estou servindo a ele, e sim a meu país, não me importa, estou resignado". Terminada a guerra, em 1875 Sólon concluiu o curso de sua arma na Escola Militar de Porto Alegre, sendo promovido a major.

Pouco após chegar ao Rio em 1889, Sólon passou a comandar o 9º Regimento de Cavalaria, em São Cristóvão. Por essa época, já era francamente republicano, se confiarmos nas notícias biográficas que existem a seu respeito. Durante as comemorações promovidas pela colônia francesa em Curitiba pelos 100 anos do 14 de julho de 1789, com a presença do presidente da província, Sólon, que lá servia, usou em seu discurso a palavra "República", causando sensação na assembléia. Quando chegou à Corte, hospedou-se no Hotel Glória, onde teria manifestado claramente a hóspedes e funcionários que se esforçava "para ficar na capital, com o fim de promover o movimento revolucionário".

No dia 6 de outubro chegou à Corte o capitão Antônio Adolfo da Fontoura Mena Barreto, vindo do Rio Grande do Sul.[10] Gaúcho, Mena Barreto tinha 43 anos e era membro de uma extensa família de militares; seu pai fora marechal. Lutou como inferior no Paraguai, tornando-se depois oficial de cavalaria. Militava no Partido Conservador gaúcho, pelo qual concorrera, em 1888, como candidato à Assembléia Provincial, não sendo eleito. Como Deodoro, opunha-se ao liberal Silveira Martins. Nos anos finais do Império, foi significativa a aproximação dos conservadores gaúchos com os republicanos, por causa da oposição comum que faziam a Silveira Martins. Isso ocorreu, como já vimos, com Deodoro; Mena Barreto não fugiu a essa tendência. Certa vez, em começos de 1888, numa roda de conversa, após exaltar o regime republicano, alguém perguntou por que servia aos conservadores. Resposta:

> Sirvo por duas razões: primeira, porque no Partido Conservador eu represento a liberdade, a independência da minha província, infelizmente sujeita ao jugo do conselheiro Silveira Martins, cuja política eu abomino; e no Partido Conservador eu posso hostilizá-la de uma forma que não poderia fazer no Partido Republicano. (...) A segunda razão é que o Partido Conservador atual será o futuro Partido Republicano do Rio Grande; sendo

10. Para sua biografia, ver Mena Barreto (1950:323-37).

assim, eu estou desde já no meu elemento (cf. Mena Barreto, 1950:325).

Com Silveira Martins na presidência do estado, Mena Barreto veio transferido para a Corte, indo servir no 9º Regimento, comandado por Sólon. No 1º Regimento de Cavalaria, no mesmo edifício, servia seu primo, o tenente de cavalaria Sebastião Bandeira — que, como Mena Barreto, era gaúcho, tinha 43 anos e lutara, como inferior, na Guerra do Paraguai.[11] Muito próximo a eles, servindo no 9º, estava o alferes Joaquim Inácio Batista Cardoso, 29 anos. Os três atuarão em conjunto nos dois meses que faltam para o golpe.

Temos, portanto, reunido na Corte um grupo de oficiais de perfil distinto do da "mocidade militar". Mais velhos, veteranos do Paraguai e da arma de cavalaria, com perfil profissional antes "tarimbeiro" que "científico". No entanto, politicamente exaltados. Sólon parece ser o único ideologicamente definido como republicano; para os outros, a questão mobilizadora era, em primeiro lugar, a política rio-grandense. Isso fica claro em duas visitas de Mena Barreto a Deodoro: a primeira, dia 12; a segunda, acompanhado de Sebastião Bandeira, dia 16. Mena Barreto diria, dois anos mais tarde, que fora à casa de Deodoro "convidá-lo em nome dos republicanos do Sul, para se pôr à testa da revolução a fim de esmagar a ditadura ali estabelecida pelo conselheiro Gaspar da Silveira Martins, dizendo-lhe, mais, que o Exército ali morreria com S. Excia., em defesa da Pátria ultrajada" (cf. Correia, 1939:208, nota 1). Posteriormente, Mena Barreto diria que também tratou do suposto plano do governo para a dissolução do Exército: aumentar a Polícia da Corte, reorganizar a Guarda Nacional e retirar para as províncias grande parte do efetivo do Exército estacionado na Corte. O Exército, finalmente reduzido à metade de seu efetivo, seria pouco mais que uma guarda de fronteiras ou simplesmente extinto. Deodoro, exaltando-se, teria respondido, segundo uma versão: "Estou doente, sigo para Caxambu. Arregimentem-se, porque oportunamente estarei à frente dos nossos camaradas e ajustarei contas com o governo" (cf. Sena, 1913:228-9); segundo outra, teria ameaçado um novo golpe de 7 de abril de 1831: "Não permitirei isso! Voltará o 31! Irei ao parlamento responsabilizar o governo pela falta de patriotismo que se revela em semelhantes atos. Assestarei a artilharia, levarei os sete ministros à

11. Seu arquivo privado encontra-se no Arquivo Nacional (AP34).

praça pública e me entregarei depois ao povo para julgar-me". Mena Barreto teria respondido: "Neste caso, V. Excia. vencedor, será o ditador da República!" (Cf. Sena, 1913:28-9).

Diferentemente de Benjamin, que fez — como veremos adiante — várias manifestações públicas nas semanas anteriores ao golpe, Deodoro só falou com poucos, privadamente, sempre em sua casa. Dessa forma, torna-se impossível cruzar informações de diferentes fontes que permitam reconstituir, com um mínimo de segurança, senão o que ele falou, ao menos seu estado de espírito. É este o caso dos depoimentos acima mencionados. De qualquer forma, posto que esses oficiais tocaram nos dois assuntos que, como vimos, eram mais sensíveis a Deodoro — a política do Rio Grande do Sul e supostas ameaças ao Exército —, parece razoável supor que se tenha exaltado. Nada indica, no entanto, que estivesse decidido por uma ação real contra o governo, muito menos por um golpe republicano. Não que fosse convictamente monarquista; o que parece deter Deodoro é sua lealdade ao Imperador.

Mena Barreto e Sebastião Bandeira promoveram, dia 17, uma visita dos oficiais inferiores do 1º e 9º Regimentos de Cavalaria à casa de Deodoro, para homenageá-lo e desejar-lhe pronto restabelecimento da saúde. Mas não o viram, pois a mulher de Deodoro proibiu a visita devido ao estado de saúde do marido. No dia seguinte, ainda por sugestão de Mena Barreto e Sebastião Bandeira, os oficiais inferiores do 2º Regimento de Artilharia e logo depois uma comissão da ESG e outra da Escola Militar foram visitar Deodoro, também sem conseguir vê-lo.

Deodoro, é importante observar, encontrava-se em casa, bastante doente, desde seu regresso à Corte, e assim permaneceria até o golpe. As descrições dos que conseguiram visitá-lo mostram-no prostrado, com dificuldades para respirar e andar. Não muito melhor é, no mesmo período, a saúde de Benjamin. O diário de sua filha registra vários dias em que ele permaneceu em casa, acamado. O pouco vigor físico daqueles que viriam a ser os dois principais chefes militares do golpe de 15 de novembro obrigou os conspiradores a freqüentemente visitá-los em suas casas. Benjamin ainda manterá uma atividade moderada; Deodoro só sairá de casa na madrugada do dia 15 de novembro, bastante combalido.

A 18 de outubro, sexta-feira, Benjamin Constant comemorava seu 52º e penúltimo aniversário. Bernardina conta que nesse dia Marciano batizou um filho, e entre os padrinhos, estava Serzedelo Corrêa, que ficou para o jantar e "fez na ocasião uma bonita saúde a papai". Benjamin está a cinco dias de viver o ato público mais espetacular de sua vida. O diário de Bernardina e documentos de seu arquivo nos permitem conhecer, embora incompletamente, os passos de Benjamin. No sábado, deu aula na ESG. No domingo à noite, dia 20, foi visitar Deodoro, certamente para tratar de assuntos do Clube Militar.[12] É possível que tenha insistido na realização da sessão pretendida pelos sócios que assinaram o requerimento. O fato é que, datada de segunda, dia 21, há uma carta de Deodoro comunicando a Benjamin que, em decorrência de sua saúde, lhe passava a presidência do Clube Militar, pois teria de retirar-se em breve para Caxambu.[13] Por esses dias, Benjamin recebeu também um "convite especial" de uma comissão de alunos da Escola Militar da Praia Vermelha — da qual havia se desligado ao ser criada a ESG — para comparecer, na quarta-feira seguinte, 23 de outubro de 1889, a um banquete em homenagem aos oficiais do cruzador chileno *Almirante Cochrane*, que estava no Brasil em missão oficial para participar dos festejos das bodas de prata dos príncipes imperiais.

No dia 23, homenageados e convidados chegaram à Escola no final da manhã, visitaram suas dependências, assistiram a uma exibição de esgrima dos alunos e posaram para uma foto.[14] Iniciou-se então o banquete, servido em três mesas. Além dos oficiais chilenos e do comandante da Escola, José Clarindo de Queirós, estava presente, representando o governo brasileiro, o ministro interino da Guerra, Cândido de Oliveira.[15] Na primeira mesa do banquete, autoridades chilenas e brasileiras trocaram brindes previstos. Na segunda mesa do banquete, já ao cair da tarde, uma surpresa: Benjamin Constant foi saudado pelo aluno Vicente de Azevedo —

---

12. Clodoaldo da Fonseca diz que no dia 19 ou 20 — "não nos foi possível precisar a data ao certo" — Benjamin foi visitar Deodoro (cf. Correia, 1939:209). Atribuí a data de 20 por causa do diário de Bernardina, onde há o registro de que o pai saiu à noite.

13. BC, REP/Club.Mil. 8891021.

14. Para uma descrição do evento, além das fontes citadas a seguir, ver também *O País* do dia 24 e *Cidade do Rio* do dia 26, que publicaram notas.

15. Ele substituía o visconde de Maracaju, que, doente, só reassumiria suas funções em 12 de novembro.

um dos que assinarão os "pactos de sangue" —, que terminou, sob aplausos dos colegas, com um inusitado "Viva o mestre Benjamin Constant!" (Magalhães Jr., 1957, II:35). Seguiram-se vivas, palmas e flores que duraram mais de 15 minutos, diante de um ministro, um comandante da Escola e de oficiais chilenos atônitos. Mas o pior — o melhor — estava por vir.

Se todo o ciclo de homenagens promovido pouco mais de um ano antes pelos alunos à promoção de Benjamin Constant deveria ser retribuído, a hora era essa, e Benjamin não a deixou passar: tomou a palavra e, após sublinhar que estava ali a convite dos alunos, fez uma saudação exaltada à "mocidade militar".

> Grato ao honroso convite dos dignos alunos da Escola Militar da Corte (...) eu saúdo a esta distintíssima mocidade, que tem sabido aliar a sã cultura científica e técnica indispensável à sua digna adaptação à árdua, mas nobilíssima carreira a que se destina, com a esmerada cultura dos nobres e delicados sentimentos que mais honram a natureza humana, nobilitando assim no soldado a alma do cidadão.
>
> É que ela tem sabido compreender que essa larga instrução científica, moral e cívica levada muito além dos planos do ensino oficial é ainda mais necessária que a instrução militar para o bom desempenho dos altos destinos sociais e políticos que, neste século, os exércitos são chamados a desempenhar no seio das nações.
>
> É que ela, honrando as gloriosas tradições da nossa Escola Militar por tantos títulos venerada, tem compreendido que há para os exércitos da livre América do Sul uma ciência inconfundivelmente mais nobre e mais fecunda em benefícios para a humanidade do que a ciência da guerra: é a ciência da paz.
>
> É para ela e conseqüentemente para o fraternal congresso dos povos o mais belo ideal das aspirações humanas que se encaminha com crescente rapidez o verdadeiro progresso geral submetido na sua evolução a leis irrecusáveis, demonstradas pela ciência real, hoje completa em tudo quanto ela tem de essencial, e confirmadas pela sã filosofia da história. Apressar essa evolução natural com os possantes recursos que a política, a arte de bem dirigir os povos, tem posto à nossa disposição, tal é a sublime missão dos povos e dos estadistas modernos.

Em seguida, Benjamin desferiu um ataque frontal ao governo, "falando francamente sobre os desagradáveis conflitos entre o Exército e o poder, que foi sempre, como disse, o provocador desses conflitos".[16] Concluiu afirmando que o Exército brasileiro não era composto de janízaros e que, "sob a farda de cada soldado, pulsa o coração de um cidadão e de um patriota!"[17]

O ministro da Guerra, afrontado, retirou-se antes de Benjamin Constant terminar seu discurso, de quase uma hora. Ao final, Benjamin foi saudado, segundo *O País*, de forma "entusiástica e delirante"; Bernardina registra que "os alunos e quase a escola em peso aplaudiu-o muito com palmas, vivas e flores, e até as senhoras foram cumprimentá-lo e jogar-lhe flores". Segundo José Bevilacqua, Benjamin teria saído da Escola dizendo aos jovens militares que o cercavam: "Arre! Desabafei! Isto valeu por cinco ou seis sessões!" — uma referência à tão esperada sessão do Clube Militar que fora negada por Deodoro.[18] Segundo um documento reservado do comandante da 2ª Brigada, quando Cândido de Oliveira e os oficiais que o acompanhavam se retiravam, "houve dentro do edifício (...) vivas inconvenientes e ouvidos pelo povo que se achava à porta da mesma e pelas praças dos regimentos que se achavam em frente".[19] Segundo algumas fontes (p. ex., Holanda, 1972:359), enquanto o ministro se retirava, os alunos gritavam "Viva a República... do Chile", forçando a pausa para marcar a intenção. Os alunos e jovens oficiais "científicos", exultantes, improvisaram um baile que varou a noite.

O discurso havia sido uma homenagem à "mocidade militar" e estava impregnado de sentido para a cultura desses jovens militares "científicos". Nele estão presentes: a glorificação da "instrução científica"; a antevisão dos "altos destinos sociais e políticos" que eles seriam chamados a desempenhar; a referência aos "exércitos livres da América do Sul" (o Brasil, lembremos, era a única monarquia do continente); o predomínio da "ciência da paz" sobre a "ciência da guerra"; o progresso geral que obedecia a "leis irrecusáveis" mas que deveria ser *apressado* pela ação política. Além disso, o discurso fora *público*, pronunciado diante do ministro da Guerra, e Benjamin, ao

---

16. Rascunho do discurso em BC, REP/Magalhães, B. C. 8891023, doc. 1.
17. Essa frase aparece em diversas fontes (p. ex. Magalhães Jr., 1957, II:35), mas não consegui determinar a original.
18. Ver artigo de José Bevilacqua na *Gazeta de Notícias* de 17/7/1890.
19. Documento enviado ao ajudante-general do Exército, Floriano Peixoto, em 30/10/1889, reproduzido em: *Ata da sessão do Clube Militar de 9 de dezembro de 1889. Coleção de pactos de sangue e mensagens, recebidos por Benjamin Constant* (Ministério da Guerra, 1939).

tratar dos conflitos entre Exército e governo, criara um fato consumado que procurava fazer renascer a Questão Militar em sua versão mais radical. No entanto, apesar de todas as referências ao Exército e da farda de tenente-coronel que Benjamin vestia na ocasião, foi o discurso de um "científico"; não de um soldado. A imagem do "soldado-cidadão" é apenas aparentemente composta por termos equivalentes: o desconforto de Benjamin — e, em grande parte, dos jovens "científicos" — com a farda, como vimos, era grande. A própria filha o denuncia, ao registrar em seu diário que, nesse dia, "papai não apareceu para jantar e já estávamos receosas sem sabermos para onde ele iria e onde jantaria, *pois ele não gosta de andar fardado*".

No dia seguinte, Benjamin compareceu à ESG, pois os chilenos foram visitar a Escola, "e lá ofereceram-lhes um copo d'água e fizeram uma pequena festa", como registra Bernardina. Também é dela a informação de que, à noite, Serzedelo Corrêa "veio cumprimentar o papai pelo brilhante discurso que fez ontem na Escola Militar". O discurso forneceu também farta munição para ironias políticas contrárias ao governo. Um artigo no *Cidade do Rio* de 26 diz que Benjamin Constant aproveitou a ocasião "para desafrontar a sua classe e disse ao ministro muita coisa dura de roer e ainda mais dura de ouvir. E o ministro teve de ouvir e roer calado, ouvindo e roendo ao mesmo tempo as aclamações com que os rapazes saudavam o íntegro e honrado militar. Como S. Excia. deve ter ficado odiando os chilenos!"; a "Crônica política" do *Correio do Povo* de 31 dizia que Benjamin "fez embatucar" Cândido de Oliveira: "É que *duro com duro não faz bom muro.* O *marreco* tragou em silêncio as cruas verdades que o Dr. Benjamin disse-lhe em face".

Para os jovens militares, o efeito do discurso de Benjamin foi "formidável, verdadeiro toque a reunir das falanges republicanas para a jornada libertadora", um "discurso-terremoto" (Villeroy, 1936:92-3), "verdadeira declaração de guerra" (Villeroy, 1928:103); "uma faísca na atmosfera militar; desencadeou a tempestade" (Tasso Fragoso, cf. Araripe, 1960:124). Outro ex-aluno recorda: "Desse dia em diante a Escola não mais funcionou. O espírito revolucionário tomou conta de todos, Benjamin Constant havia interpretado em palavras precisas todo nosso sentimento republicano, e a torrente foi-se avolumando impetuosamente até a madrugada de 15 de novembro" (Lopes, 1961:42).

Correu o boato de que Benjamin Constant seria preso. Os alunos da ESG, em vista disso, fizeram uma manifestação de surpresa no dia 26, sábado.[20] Quando Benjamin terminou sua aula, a sala foi invadida por praticamente todos os oficiais inferiores do 1º e 9º Regimentos de Cavalaria e do 2º Regimento de Artilharia a Cavalo — 37 pessoas, sendo 9 capitães, 16 tenentes e 12 alferes e alferes-alunos[21] —, além de alguns oficiais de batalhões de infantaria e, é claro, os 59 alferes-alunos da ESG. Ou seja, toda a "mocidade militar", acrescida dos já conhecidos Mena Barreto, Sebastião Bandeira e

20. Sobre a manifestação, ver notícias nos jornais *Diário de Notícias, O País* e *Correio do Povo* do dia 28, além das fontes citadas no texto.
21. Ver a relação em Seixas (1890:284-5).

Joaquim Inácio. Segundo Bernardina, o objetivo de todos era deixar claro "que estavam à sua disposição para o que quisesse; os alunos declarando que não tendo mais manifestação a fazer que demonstrasse o apreço e o grau de amizade que têm a papai disseram que estavam todos ao seu dispor e que lhe entregavam o corpo, a inteligência, o coração, etc., se o governo tentasse contra ele alguma vingança".

Falaram, em nome dos oficiais do 2º Regimento, o primeiro-tenente Saturnino Cardoso; pelos do 1º e 9º, o capitão Mena Barreto, e pelos alunos da ESG o alferes-aluno Tasso Fragoso, que terminou afirmando: "Mestre! Nós delegamos em ti o nosso modo de pensar, de agir e de sentir na transformação republicana de nossa Pátria!" De idêntico espírito era uma mensagem assinada por 39 alunos da Escola Militar, entregue na ocasião, que começa lembrando "o júbilo que nos invadia ao recebermos a visita dos bravos filhos da grandiosa República do Chile, [quando] com a vossa palavra clara que esmaga gigantes, mostráveis a um dos ministros da Coroa que ainda há muita dignidade nesse Exército". A mensagem fala da dor profunda que existe no coração de cada brasileiro, "mortificado ante esse espetáculo que nos deprime, verdadeira orgia nos domínios da Coroa". Critica "o bacharelato em direito monopolizando o governo da Nação", refere-se ao presidente do Conselho como "um aventureiro ousado e atrevido" que ameaça licenciar o Exército, chama de "pobre Pátria, desgraçado país onde no trono se assenta um espectro de rei, cujo império transformaram numa banca de jogo". No entanto, toda vez que vêem Benjamin Constant — "mestre e grande amigo"—, sentem que "volta a esperança e em nossas imaginações de moços figuramos o dia de amanhã risonho e belo". A mensagem termina com: "Mestre, sede o nosso guia em busca da terra da promissão — o solo da liberdade!" (cf. Mendes, 1913, II:211-4).

Após ser erguido um viva "à dignidade do Exército", Benjamin agradeceu, comovidíssimo — segundo o *Diário de Notícias*, nestes termos:

> Disse que pertencia à Família, ao Exército e à Pátria por quem se sacrificaria; que queria ver o Exército respeitado e inteiramente respeitador, como garantia de segurança da manutenção da ordem e tranquilidade públicas e trabalhando condignamente para o engrandecimento da Pátria, respeitando os direitos públicos, desde que estes cumprissem a lei, e reagindo até, se preciso fosse, na praça pública, quando os desmandos

> dos governos levassem o desrespeito à lei até a conspurcação dos direitos e brios do Exército, incompatíveis com a dignidade de uma classe patriótica e que ama extremamente a sua Pátria.

A "mocidade militar" encontrara seu líder.

Investigar a relação de liderança estabelecida entre Benjamin Constant e a "mocidade militar" tem sido um dos principais objetivos deste livro. Como já foi observado, Benjamin muitas vezes é apresentado como um líder carismático que "catequizou" e converteu seus "discípulos" para a conspiração contra o regime monárquico. Pretendi mostrar o contrário: ele é que foi atraído pela "mocidade militar", que estava *à procura de um líder*. Se a reconstrução histórica desse encontro foi convincente, falta compreender por que os jovens oficiais "científicos" precisavam encontrar um líder para a conspiração republicana e em que consistiu, sociologicamente falando, a transformação de Benjamin Constant nesse líder.

O primeiro passo para responder a essas perguntas é ver a liderança como uma *relação* na qual líder e liderados se encontram em interação, em influência recíproca; não como uma qualidade que se possui ou como um poder que é exercido sobre um grupo de pessoas. Ser líder significa também ser levado a exercer em plenitude seu papel, e não apenas fazer com que os liderados o sigam. Simmel (1939), entre muitos outros, já chamou a atenção para o fato sociológico de que "todos os que guiam são também guiados"; é interessante, a esse respeito, saber que Benjamin Constant costumava se chamar, já na República, de "herói à força" (Castro, A., 1922:365).

Além disso, é preciso perceber que o líder *dá forma ao grupo*. Falar em "mocidade militar" tem sido, até aqui, um artifício sociológico e literário para facilitar a etnografia do universo cultural dos jovens oficiais "científicos" e permitir a narração de suas ações políticas; a rigor, no entanto, a "mocidade militar" só existiu a partir do momento em que esses oficiais *delegaram* a Benjamin Constant a missão de representá-la, e que este *assumiu*, como disse Lauro Sodré, "a responsabilidade de sentir, pensar e agir pelos que comungavam a mesma fé, animados pelos mesmos sentimentos, orientados pelas mesmas sãs doutrinas filosóficas" (1903:364).

Por que Benjamin Constant viria a ser este líder? Procurei, no capítulo 5, seguir uma sugestão de Bourdieu: determinar, para cada caso particular de carisma, "as características sociologicamente pertinentes de uma biografia particular que fazem com que um determinado indivíduo se encontre *socialmente* predisposto a sentir e a exprimir, com uma força e uma coerência particulares, disposições éticas ou políticas, já presentes, de modo implícito, em todos os membros da classe ou do grupo de seus destinatários" (Bourdieu, 1982:94).

Vimos importantes características da biografia de Benjamin Constant que o tornavam um possível "candidato" à posição de líder — em situação mesmo de vantagem sobre outros possíveis líderes. Esse conjunto de características é, no entanto, insuficiente para explicar como e por que ele veio a ocupar essa posição. Ao contrário do que alguns de seus biógrafos pretendem, não há uma predestinação inscrita em sua biografia para o papel que viria a desempenhar; da mesma forma, ele também não nasceu com o *carisma* — dom, graça, sinal — que um dia seus "discípulos" nele reconheceriam. Na reconstituição histórica dos eventos decorridos desde a Questão Militar de 1886-1887, procurei mostrar como as *ações* de Benjamin é que foram decisivas, sua *performance* — em grande parte, consciente — no desempenho de um papel que a "mocidade militar" lhe oferecia. Foi comparecendo a reuniões, proferindo discursos e expressando sentimentos que ele se habilitou ao carisma que lhe foi atribuído; para usar uma expressão cara ao existencialismo sartreano, ele foi *responsável* por seu carisma. Este só foi "reconhecido" por seus "discípulos" após vários momentos de encontro e de sedução, de dádivas e retribuições. Só depois de vivê-los é que Benjamin e a "mocidade militar" se decidiram a tentar navegar, juntos, a "nau do Estado".

Essa história de Benjamin Constant e de seu encontro com a "mocidade militar" constitui um interessante caso de carisma político. A introdução da noção de "carisma" em ciências sociais foi feita por Max Weber, que a tomou de empréstimo ao cristianismo primitivo para caracterizar um dos tipos ideais de dominação. Diferentemente das formas de dominação legitimadas por seu caráter *racional* ou *tradicional*, a de caráter *carismático* seria baseada na veneração extracotidiana do caráter exemplar de uma pessoa. Neste caso, "obedece-se ao *líder* carismaticamente qualificado como tal, em virtude de confiança pessoal em revelação, heroísmo ou exemplaridade dentro do âmbito da crença nesse seu carisma" (Weber, 1991:141).

O uso que tenho feito da noção de "liderança carismática" é, em grande parte, informado por leituras que convém explicitar. Tucker (1968) destaca que a liderança política carismática tipicamente aparece no contexto de um *movimento*. O líder não é apenas aquele que é seguido por suas qualidades extraordinárias; é alguém que demonstra tais qualidades em um processo político que existe *antes* de seu surgimento enquanto líder. Eisenstadt (1968) e Geertz (1983) chamam a atenção para uma idéia presente num artigo de Shils (1965): a de que as sociedades possuem *centros*, arenas onde se concentram eventos considerados como de importância vital, locais onde "as coisas acontecem". Tais centros nada têm a ver com geometria e pouco têm a ver com geografia; trata-se de um fenômeno de ordem *simbólica*. O carisma de um líder é reconhecido por seus liderados quando ele entra nessas arenas e se envolve com os eventos que aí ocorrem, mesmo que o sentido desse envolvimento seja de oposição, como é o caso de Benjamin Constant.

Mas entrar nesses espaços é perigoso — lembremo-nos das feras na arena do poema "A luva". Benjamin, decerto, não desconhecia o risco de seus atos. Em seu arquivo há o rascunho de uma carta dirigida ao ministro da Guerra, sem data, escrita para ser publicada na imprensa, mas que nunca o foi.[22] É possível que tenha sido produzida nos dois dias e meio decorridos entre o discurso aos chilenos e a manifestação na ESG, ou logo após esta. Provavelmente, em razão da possibilidade de ser preso ou punido, Benjamin quis ter uma carta já pronta para a eventualidade. Em tom exaltado, afirma ao ministro da Guerra que, quando o Exército esperava ansioso um ato qualquer seu que o beneficiasse, ele, "agarrado à pasta de Ministro, como ostra à pedra, lembrou-se unicamente que era ministro e que surdo aos clamores desta miserável classe devia seguir a rotina traçada por seus colegas, procurando distinguir de todos eles por uma maior soma de injustiças". Em seguida, diz que apenas em caso de guerra ou "quando o povo for, por um excesso de desespero, arrojar-se de encontro ao trono ameaçando tudo despedaçar em seus movimentos" é que "o Exército será lembrado para expor sua

22. BC, PI/MAGALHÃES, B. C. 0000000/8.

vida pela segurança do trono e do Império". A carta termina do seguinte modo:

> Mas lembrai-vos Sr. que o exército é Leão que dorme e que um dia se levantará raivoso atirando-se sedento sobre tudo que se opuser à sua marcha impetuosa e então quem lhe oporá resistência? O regato que humilde percorre a superfície da terra acomodando-se a todas as suas irregularidades engrossará suas águas em frente ao obstáculo que lhe impedir o curso e então triunfante levará de vencida todos os obstáculos em sua torrente impetuosa. Não é nem uma ameaça que vos faço, é a conseqüência inevitável do modo indigno por que é tratado o nosso Exército.

Em meio às homenagens, aos protestos, discursos, às palmas e aos manifestos que temos acompanhado, havia uma dose de *iniciativa* e *risco* — presentes, aliás, em toda ação política. Tenho procurado sempre apontar as *conexões* entre cultura e ação política. No entanto, por mais que se densifique a descrição desses nexos, sempre restará uma dimensão opaca ao olhar do pesquisador: aquela na qual os indivíduos decidem tomar iniciativas *arriscadas*, que fogem à rotina previsível da vida cotidiana e que levam a resultados incertos.

Benjamin, se dependesse de Ouro Preto, teria sido prontamente punido. O presidente do Conselho, indignado com o discurso na Escola Militar, criticou Cândido de Oliveira, dizendo que ele deveria ter prendido Benjamin Constant ao invés de se retirar da Escola (Monteiro, 1913:227-8). No dia seguinte à manifestação na ESG, Benjamin recebeu um ofício do diretor da Escola, barão de Miranda Reis, pedindo esclarecimentos, a pedido do ministro da Guerra, sobre artigo publicado no *Diário de Notícias* a respeito da manifestação. Benjamin respondeu que o artigo estava fiel ao ocorrido.[23] Ouro Preto procurou então o Imperador, sugerindo que o comandante da ESG fosse substituído e que um novo diretor punisse Benjamin Constant. Pedro II respondeu: "Olhe, o Benjamin é uma excelente criatura, incapaz de violências, é homem de x+b, e além disso muito meu amigo; mande chamá-lo, fale com franqueza e verá que ele acabará voltando ao bom caminho" (cf. Monteiro, 1913:229). Isto posto, a única atitude oficial em relação à manifestação na ESG acabou sendo uma ordem-do-dia do brigadeiro Antônio José do Amaral, comandante da 2ª Brigada (que englobava os

---

23. BC, REP/doc. part. 8891027.

regimentos de cavalaria e artilharia), lamentando "fato tão irregular" — motivado, a seu ver, por "irreflexão, influência e entusiasmo de momento" (cf. Sena, 1913:31-2).

A aproximação efetiva entre Benjamin e líderes republicanos civis ocorreu apenas após o discurso na recepção aos chilenos.[24] No dia da manifestação na ESG, Benjamin recebeu um bilhete de Quintino Bocaiúva pedindo que marcasse dia e hora para uma visita. Quintino assinava-se "correligionário e amigo".[25] Na noite desse mesmo dia 26, Benjamin foi à redação d'*O País*; no dia seguinte, foi a vez de Quintino visitar pela primeira vez a casa de Benjamin Constant, que o apresentou à família. No dia 30, Benjamin compareceu ao escritório de Aristides Lobo. Este, no dia 31, teria recebido também a visita de Mena Barreto e Sebastião Bandeira, comprometendo-se a publicar artigos exaltados na imprensa, enquanto se preparava uma revolução (Sena, 1913:38-9).[26]

Como vimos, republicanos civis freqüentemente apoiaram os militares em suas questões contra o governo. Apesar disso, descontado o caso específico do Rio Grande do Sul, uma aproximação efetiva só se deu tardiamente. Quintino Bocaiúva diria, futuramente, que, já às véspera do golpe, tanto Deodoro quanto Benjamin "desconheciam quase completamente o pessoal político republicano" (cf. Correia, 1939:41). O golpe foi militar em sua organização e execução. Políticos republicanos civis tiveram um papel importante na organização do novo regime; não antes.

George Boehrer afirma que "os chefes do Partido Republicano serviram meramente para dar o tom oficial a uma questão que poderia perfeitamente ter sido decidida sem o seu concurso"

---

24. Teixeira Mendes afirma que, em janeiro de 1889, Benjamin, de férias em Lambari com a família, teria sido procurado por "alguns republicanos" que o exortaram a colocar-se à frente do movimento insurrecional (1913, I:336). Não foi possível confirmar essa informação em seu arquivo ou outra fonte.
25. BC, COR 8891024.
26. Esta data é incerta. Silveira Lobo, em artigo de 6/1/1890, diz que ouviu dos dois militares que em 20 de outubro, "se não me engano", eles procuraram Aristides Lobo "para com ele iniciar a conspiração política" (cf. Correia, 1939: 210).

(1960:288-9). A contribuição dada pelos republicanos civis seria visível, segundo ele, apenas no dia 16: a aceitação sem protestos do novo regime pela nação, resultado da "hábil propaganda" que o partido conduzira desde 1870. Mesmo este papel atribuído aos efeitos da propaganda republicana parece-me exagerado. Concordo, quanto a este ponto, com Renato Lessa: "É um engano supor que o golpe de Estado de 15/11/1889 foi a materialização de um projeto de utopia, lentamente amadurecido por duas décadas de ação republicana. Talvez seja mais prudente supor que a relevância da propaganda republicana se deve, apenas, ao fato de que se proclamou uma república, que lhe reivindicou como memória" (1988:38).

Em 1889, o poder eleitoral do Partido Republicano era pequeno. Em agosto de 1889, na eleição para a Câmara dos Deputados, os três candidatos do partido na Corte (Aristides Lobo, Lopes Trovão e Francisco Werneck de Almeida) receberam 678 de um total de 5.651 votos — ou seja, 12% (Boehrer, 1960:65). Nas províncias, o partido era uma força política significativa apenas no Rio Grande do Sul — onde talvez fosse o segundo partido em importância — e em São Paulo, onde contava com cerca de 25% do eleitorado e estava em franco crescimento, devido ao apoio que passara a receber de muitos fazendeiros após o fim da escravidão.[27]

Além da força eleitoral modesta, o Partido Republicano sempre foi, desde sua fundação em 1870, um partido dividido. Os republicanos "doutrinários" eram em sua maioria ex-liberais. Tinham o manifesto de fundação do partido como referência, centrando suas esperanças na descentralização política através do enfraquecimento do Executivo e do fortalecimento das províncias — "federação" era a palavra mágica. Em 1889, era essa corrente, mais moderada, que estava no controle do partido. No Congresso Republicano de maio de 1889, realizado em São Paulo, Quintino Bocaiúva foi eleito para a chefia nacional. Na ocasião, procurou contemporizar com a ala mais radical do partido, mas enfatizou sua perspectiva politicamente "evolucionista", não revolucionária.

A eleição de Quintino levou Silva Jardim a romper definitivamente com o partido, com o qual já vinha, havia muito, se desenten-

---

27. Esses fazendeiros desejavam, principalmente, maior autonomia regional e incentivo do governo à imigração de mão-de-obra européia.

dendo. Ele e alguns outros políticos, como o pernambucano Aníbal Falcão, eram inspirados mais pela "República ditatorial" de Comte, baseada num executivo forte, do que pelas idéias liberal-democráticas do manifesto de 1870. No entanto, Silva Jardim também rompera, por motivos pessoais, com a Igreja Positivista; tornou-se, desse modo, um elemento politicamente isolado.

Os republicanos civis também eram divididos em relação à conveniência de se aliar aos militares para um golpe republicano. No Rio Grande do Sul, uma reunião de 13 republicanos ocorrida em março em Reserva, propriedade de Júlio de Castilhos, decidira que "o Império devia ser atacado antes da implantação do 3º Reinado, isto é, quando menos espera o ataque; o método preferível é voltar contra o Império suas próprias armas, isto é, fazê-lo atacar pelo Exército, sob a influência e direção do Partido Republicano"(cf. Boehrer, 1960:188). Mas não havia consenso entre os republicanos civis nem sobre *quais* líderes militares eram confiáveis. Quintino Bocaiúva, em carta de 19/2/1889 a seu amigo Gabriel Cruz, dizia que a recente morte de Sena Madureira havia sido um desastre para os republicanos, uma vez que não podiam confiar em Deodoro (cf. Hahner, 1969:172-3).

No final de 1889, para os republicanos civis, eleitoralmente fracos e com um partido ainda pequeno e dividido, o encontro com os principais líderes militares em antagonismo com o governo era de interesse mais "instrumental" — a única possibilidade visível de se fundar logo a República — do que político ou ideológico; para os militares, o encontro representava a possibilidade de darem ao golpe a imagem de um movimento mais amplo que uma simples insurreição militar. Mesmo assim, essa aproximação, antes de 15 de novembro, será tímida e, ao menos da parte de Deodoro, eivada de desconfianças.

Nos primeiros dias de novembro, a grande preocupação de Benjamin Constant e da "mocidade militar" foi preparar a tão aguardada reunião do Clube Militar. Embora já estivessem decididos pela conspiração, o endosso do Clube era essencial para configurar o movimento como sendo da "classe militar" e, com isso, atrair Deodoro e conseguir a adesão de um número maior de oficiais.

Quanto a Sólon, Mena Barreto e Bandeira, seus esforços estarão concentrados na tentativa de mobilizar alguns elementos da 1ª Brigada (que incluía os batalhões de infantaria estacionados na Corte) e na tentativa de envolver Deodoro na conspiração. Nesse sentido, nos dias 3 e 4, promoveram reuniões com alguns oficiais inferiores dos 1º e 7º BI (Seixas, 1890:293-4); no dia 6, Sólon visitou Deodoro. Como todos os relatos de conversas mantidas a sós com Deodoro, o de Sólon a respeito desse encontro também deve ser visto com muita reserva. Deodoro teria afirmado ter muita afeição pelo Imperador, a quem não desejava "desgostar nem vexar"; no entanto, se fosse necessário: "Paciência! Sacrifique-se tudo e contem comigo!" (cf. Correia, 1939:132-3).

Uma observação deve ser feita com relação à atuação de Sólon na conspiração. Ele, no dia 14 de novembro, seria o autor dos boatos sobre a prisão de Deodoro e Benjamin, fato precipitador do golpe. No entanto, em depoimento de 1912, Sebastião Bandeira fez sérias críticas a Sólon, dizendo que, na fase inicial da conspiração, apesar de solicitado, ele se esquivara de comprometer-se mais ativamente. Bandeira cita como exemplos o fato de Sólon não haver comparecido às homenagens que os oficiais sob seu comando fizeram a Deodoro no dia 17 e a Benjamin no dia 26 de outubro, além de, apesar de haver entregue um "pacto de sangue" de seus oficiais a Benjamin Constant, não tê-lo assinado. Em função disso, segundo Bandeira, Sólon, "pelo seu modo de agir, fugindo à responsabilidade de atos que o pudessem comprometer durante a conspiração, não conseguiu jamais impor-se à confiança de seus companheiros e comandados. É uma verdade que nos entristecia deveras" (cf. Sena, 1913:212).

De qualquer modo, na noite de 6, Sólon comparece à casa de Benjamin Constant acompanhado de Mena Barreto, Joaquim Inácio, do aluno da ESG Aníbal Elói Cardoso e do tenente Saturnino Cardoso. Lá já estava Marciano. O fato é confirmado pelo diário de Bernardina, que fala de "cinco oficiais" a esperar por seu pai para falar-lhe sobre a Questão Militar. Segundo as versões existentes, já se discutiam alguns detalhes do golpe, como o que fazer com o Imperador. Joaquim Inácio propôs exilá-lo; caso a isto se recusasse, fuzilá-lo; Benjamin teria reagido dizendo que, ao contrário, o Imperador teria garantia de vida e considerações (Sena, 1913:42). Na noite seguinte, Sólon e Mena Barreto voltaram à casa de Benjamin, acompanhados de Quintino Bocaiúva. Trataram possivelmente da necessidade de se promover um encontro dos republicanos civis com Deodoro — encontro que, afinal, se realizaria no dia 11.

Antes disso, no entanto, realizou-se a reunião no Clube Militar. Desde o dia 3, ela havia sido marcada para o dia 9 de novembro, um sábado. A preparação foi muito cuidadosa. É importante observar que o Clube Militar não se reunia em sessão desde a eleição de Deodoro e Benjamin, a 11 de julho — há quase quatro meses, portanto. No mesmo período, a diretoria se reuniu apenas três vezes (a última em 29/8), e somente 16 novos sócios aderiram (Dudley, 1972:523-6). O Clube Militar, nesta fase inicial, não era um lugar de funcionamento permanente, onde convivessem os membros; era, como já foi observado, um espaço virtual, a ser ocupado apenas quando fosse necessário evocar a "classe militar" — o objetivo da reunião do dia 9 de novembro.

No dia 5, aconteceu uma reunião da diretoria do Clube, presidida por Benjamin (lembremos que ele havia assumido a presidência interina). O único objetivo foi aprovar a adesão de 43 novos membros. Examinando-se a lista desses membros (ver Sena, 1913:41), vemos que há apenas 8 oficiais superiores; a maior parte era de tenentes e alferes-alunos, entre os quais Ximeno de Villeroy, Lauro Sodré, Saturnino Cardoso, Sebastião Bandeira e Joaquim Inácio. O objetivo dessa adesão em massa de jovens oficiais radicais era claro: garantir o *quorum* e uma confortável maioria na sessão do dia 9.

No dia 8, Jaime Benévolo foi à casa de Benjamin; depois, apareceu Marciano. À noite, Benjamin foi para uma reunião preparatória da sessão do dia seguinte. Segundo o depoimento de Jacques Ourique — um tenente-coronel de 41 anos ligado a Deodoro —, acordou-se que todos aceitariam uma proposta, a ser feita no dia seguinte, de se entregar a solução da nova Questão Militar a uma comissão de três membros, que deveria imediatamente entender-se com o governo (cf. Urias, 1890:279).

No dia 9, Benjamin Constant foi dar sua aula na ESG. Depois — escreve a filha —, compareceram à sua casa Marciano e Quintino Bocaiúva. À noite, realizou-se a tão aguardada assembléia geral do Clube Militar, a última a ocorrer sob o regime monárquico. Por uma notável coincidência histórica, nessa mesma noite, decorridos 17 dias desde a recepção aos chilenos na Escola Militar, acontecia o grande baile da Ilha Fiscal, promovido pelo Imperador em homenagem aos mesmos visitantes chilenos. Era a maior e mais imponente festa até então realizada pelo Império.

O ambiente no Clube Militar era de exaltação. Segundo Ximeno de Villeroy, antes de iniciada a sessão, Benjamin o teria chamado à parte, juntamente com mais dois ou três, para pedir que moderassem o entusiasmo dos alferes-alunos da ESG, os mais exaltados (Villeroy, 1928:112). Temia-se, segundo Ourique, a vigilância de agentes da Polícia (cf. Urias, 1890:279). Não sabemos o nome dos sócios presentes neste dia; apenas, pela ata da sessão, que eram 116.[28] A sessão foi presidida por Benjamin Constant, e não contou com a participação de Deodoro. Conforme registra a ata, Benjamin começou referindo-se aos atos do governo Ouro Preto, que, segundo ele, caracterizavam os "maus intuitos do governo" para com a classe militar. Terminou pedindo

> (...) lhe fossem dados plenos poderes para tirar a classe militar de um estado de coisas incompatível com a sua honra e dignidade; que a isso se comprometia sob a sua palavra de honra, e que desde já poderiam ficar cientes de que, se fosse mal sucedido, resignaria todos os empregos públicos que lhe foram confiados, quebrando até a sua espada.

José Bevilacqua pede de imediato a palavra e propõe "que ao venerando mestre Dr. Benjamin Constant deveria ser dada plenissima confiança para proceder como entendesse a fim de que em breve nos fosse dado respirar o ar de uma Pátria livre, no que foi coberto de imensos aplausos". Em seguida falou o tenente Ximeno de Villeroy, pedindo a Benjamin que voltasse atrás em sua promessa de resignar a todos os seus empregos, pois, com essas afirmações, parecia "não conhecer a política de homens como Ouro Preto, antipáticos, mal intencionados e em cujo coração só germina o mal". Disse que, caso o presidente do Conselho tomasse conhecimento da promessa de Benjamin, isso seria suficiente para fazê-lo vítima de uma cilada. Ximeno termina dizendo que "em defesa da grande causa nacional o acompanharia cegamente em qualquer que fosse o terreno", no que foi "calorosamente aplaudido". Em vista disso, Benjamin acede ao seu pedido.

Pediu então a palavra o tenente-coronel Jacques Ourique. Vimos que na reunião prévia do dia anterior havia sido acertado que

---

28. A ata encontra-se reproduzida em diversas fontes, como Mendes (1913, II:216-8).

todos apoiariam sua proposta de ser nomeada uma comissão de três membros. Benjamin, no entanto, pedira plenos poderes para si, sendo imediatamente apoiado por José Bevilacqua e Ximeno de Villeroy. Esquecimento ou uma mudança proposital nos planos de Benjamin e dos jovens oficiais a ele ligados? O fato é que Ourique, surpreso, restringiu-se a elogiar Benjamin e propor fosse suspensa a sessão; como revelaria posteriormente, "com o fim de evitar discussões inoportunas em assembléia tão numerosa, tanto mais quando achavam-se os ânimos dos jovens oficiais que a constituíam exacerbados em alto grau pelos últimos acontecimentos"(cf. Urias, 1890:279). Encerrando a sessão, Benjamin, segundo a ata, diz que, não sendo os meios legais suficientes para mudar a direção dos acontecimentos,

> (...) estaria pronto para desprezar o que havia de mais sagrado — o amor da família — para ir morrer conosco nas praças públicas, combatendo em prol da pátria que era vítima de verdadeiros abutres, para o que só pedia lhe fossem dados alguns dias para desempenhar-se de tão árdua quanto difícil missão de que foi investido pela classe a que tem a honra de pertencer.

A assembléia encerrou-se, como é de se imaginar, com "uma salva de palmas e enormes aplausos" dos presentes. É provável que Ourique fosse o único oficial superior presente, além de Benjamin, pois não há em nenhuma fonte evidência contrária. Mesmo sendo uma assembléia composta quase que exclusivamente pela "mocidade militar", a construção do discurso de Benjamin é — caso aquilo registrado na ata esteja basicamente correto — diferente da dos discursos que pronunciou na Escola Militar e na ESG. No do Clube Militar não há referências ao papel dos exércitos na pacífica sociedade futura, para onde se caminhava em virtude de leis naturais; não há, também, elogios à "mocidade" formada nos princípios científicos sãos, destinada a ocupar um lugar de destaque nesse futuro próximo. O discurso do Clube Militar é dirigido à "classe militar", e toda a preparação envolvendo a sessão não tem outro objetivo senão o de garantir o apoio simbólico dessa "classe". Simbólico porque, de fato, a assembléia não era representativa do conjunto do Exército. Em nome da "classe militar" estavam reunidos no Clube Militar seus membros menos orientados para a carreira. Incorporar parte da porção mais *troupier* da oficialidade será a principal tarefa nos cinco dias que faltam para o golpe.

Embora o discurso fosse formalmente dirigido à "classe militar", Benjamin havia entretanto usado uma imagem familiar, comum em seus encontros com a "mocidade militar" — lembremos das manifestações a Benjamin Constant pela promoção a tenente-coronel, seus agradecimentos e os encontros posteriores: "desprezar o que havia de mais sagrado — o amor da família — para ir morrer conosco nas praças públicas". Uma carta enviada a Benjamin em 1890 por um jovem oficial presente à sessão, Fileto Pires Ferreira, evoca justamente a lembrança dessa "memorável frase" — "eu abdiquei da minha família para me entregar a vós..." — que, diz Fileto, "veio nos entregar a vossa preciosa existência. Não vos pertenceis mais, sois nosso, sois da Pátria".[29]

Por falar em família, a de Benjamin lhe reservaria uma surpresa ao voltar para casa, após a sessão. Pelo diário de Bernardina, ficamos sabendo que, enquanto no Clube Militar seu pai conspirava pelo fim do Império, todos em sua casa haviam ido à ponte das barcas ver a iluminação e os convidados que seguiam para... o Baile da Ilha Fiscal! Chegando em casa e não os encontrando, Benjamin foi procurá-los; nesse meio tempo, se desencontraram. Eram 11 horas da noite quando a família retornou. Estavam tão excitados com a festa que resolveram esperar por Benjamin para voltar às barcas e tentar ver a ilha de perto. Bernardina conta que "papai lá indagou se não se podia ir na barca dos convidados para voltar na mesma", mas negaram o pedido dizendo que só com convite; "então papai tratou um escaler a 1$ por pessoa e vimos perfeitamente a ilha, o baile e as pessoas. Chegamos em casa às 3h e tanto da madrugada". Duas semanas mais tarde, mulher e filhas de Benjamin estariam ocupadas em fazer os vestidos para — agora como convidadas de honra — a festa que o governo republicano daria na despedida dos oficiais chilenos.

O que ocorreu no período de 10 a 15 de novembro diz respeito mais à dinâmica do golpe do que à sua gestação; serei, portanto,

29. BC, REP/doc.part. 8900222, doc. 1.

breve na narrativa dos dias que faltam para o golpe.[30] Terminada a sessão do Clube Militar, Benjamin Constant e a "mocidade militar" estavam em pé de guerra, bem como um pequeno grupo de oficiais *troupiers* — Sólon, Bandeira e Mena Barreto. Para que o movimento não ficasse qualificado como uma simples quartelada, já se havia feito a aproximação com alguns republicanos civis. Faltava, para os conspiradores, principalmente confirmar a adesão de Deodoro e tentar ampliar contatos com outros oficiais superiores do Exército e ao menos uma parte da Marinha.

No dia 10, Benjamin foi à casa de Deodoro informar-lhe da sessão do dia anterior no Clube Militar. Sobre o que foi conversado entre eles, a sós, no quarto de Deodoro, dispomos apenas da versão dada por José Bevilacqua, relatando o que Benjamin lhe teria dito e a outros colegas; como essa versão foi publicada ainda em vida de Benjamin e Deodoro e não foi refutada, é possível que não tivesse fugido muito à realidade.[31] Benjamin falou sobre a necessidade de uma revolução republicana. Deodoro então perguntou: "E o velho?", referindo-se ao Imperador. Benjamin respondeu que ele seria tratado dignamente. Após nova pausa, Benjamin pediu a Deodoro que "meditasse bastante na magnitude e gravidade da resolução que ia tomar; a direção dada era esta, não se poderia mais evitar a República; se ele a aceitasse, seria mais uma prova ingente de seu patriotismo (...); deste modo evitaria grandes jorros de sangue fratricida que provavelmente se iria derramar, se ele não continuasse à testa do movimento". Benjamin retirou-se então para a sala de jantar, ficando a conversar com a mulher de Deodoro. Após longo tempo, voltou ao quarto e encontrou Deodoro profundamente abatido, em posição "taciturna e meditativa"; este quebrou o longo silêncio apenas para dizer: "Benjamin, já que não há outro remédio, leve a breca a Monarquia; nada há mais que esperar dela, venha a República."

Na tarde do dia seguinte, Benjamin e Sebastião Bandeira foram à casa de Deodoro propor a realização de um encontro com alguns republicanos civis. Lá estava Hermes da Fonseca; junto com seu

30. Sobre os dias que precederam o golpe, há uma série de versões de difícil comprovação, em sua maioria discordantes. Tratarei apenas dos eventos mais importantes e sobre os quais se pode ter, através do cruzamento de diferentes fontes, um razoável grau de segurança.
31. Publicada na *Gazeta de Notícias* de 17/7/1890.

primo Clodoaldo, esses sobrinhos de Deodoro parecem ter tido importante papel no sentido de conseguir sua adesão ao movimento. Segundo Sebastião Bandeira, Deodoro teria resistido ao encontro: "E o que temos nós a ver com paisanos?" (cf. Sena, 1913:220). Convencido Deodoro da necessidade de se dar ao movimento caráter mais amplo que o de uma revolta puramente militar, a reunião realizou-se na noite desse mesmo dia, com a presença de Quintino Bocaiúva, Aristides Lobo, Rui Barbosa e Francisco Glicério.

Ainda nessa mesma noite, é assinado o primeiro dos "pactos de sangue" a Benjamin Constant. Nos dias seguintes, os conspiradores intensificaram os preparativos para o movimento. Benjamin, em um documento intitulado "Indicações úteis", anotou apressadamente os passos que imaginava necessários para o sucesso do golpe:

> Precisa-se tomar a um tempo e à noite as seguintes posições — Arsenal de Guerra, de Marinha, Alfândega, Tesouro Nacional, Estação Central dos Telégrafos, da Estrada de Ferro P. 2º, dos telefones — Fábricas da pólvora da Estrela e Conceição, Escola de Tiro, o Realengo e Campinho. Para isso é preciso que se possa contar com o pessoal do Batalhão de Engenheiros da Escola de Tiro e da Fábrica de pólvora. Contar com os guardas do Arsenal de Guerra, de Marinha e Fábrica da Conceição, a fim de sorrateiramente à noite introduzir lá pessoal apropriado para depois podermos tomar conta. Precisa-se mais tomar o primeiro trem da estrada de ferro que parte do Realengo de madrugada e tendo-se apoderado do telégrafo, converter esse trem em expresso para trazer as munições da Escola e do laboratório do Campinho e entregá-las na estação de S. Diogo a uma bateria que deve se achar postada.
>
> Fazer do quartel-general ponto central da direção provisória e converter o xadrez do 1º em prisão dos homens poderosos da atual situação. Tomar também conta das casas de detenção e correção, intimar a Polícia a que entregue sem armamento.
>
> Constituir uma ditadura moderada respeitando o velho monarca de urgente modo garantindo-lhe o palácio de São Cristóvão e sua pensão atual enquanto existir.
>
> Organizar o pessoal administrativo conforme as posições a ocupar.
>
> Prender no maior sigilo possível todo o ministério e mais aderentes importantes.[32]

---

32. BC, REP/Magalhães, BC 8891100. O documento não possui data, mas deve ter sido escrito entre os dias 10 e 14.

Pela quantidade de pontos estratégicos visados e providências a serem tomadas, vê-se que os golpistas imaginavam fossem encontrar uma forte resistência. Daí a necessidade que sentiam de contar com um militar importante e respeitado pela tropa, como Deodoro. Enquanto isso, todavia, do lado do governo e dos militares que lhe eram teoricamente leais — a maioria —, a paralisia era evidente; se por falta de informação ou de disposição, é difícil precisar. Ouro Preto, na reunião ministerial do dia 12, pedira ao ministro da Guerra, visconde de Maracaju — que acabara de reassumir a pasta após dois meses doente —, que se informasse sobre o que se passava nos quartéis; o ministro o tranqüilizou, dizendo que naquele mesmo dia o ajudante-general do Exército, Floriano Peixoto, lhe informara que tudo corria regularmente (Ouro Preto, 1891:45).

Sabe-se, no entanto, que no dia 13 Floriano foi chamado por Deodoro, com quem mantinha relações cordiais. Sobre o que conversaram, os depoimentos de Jacques Ourique e Hermes da Fonseca — que consultaram Deodoro após o encontro — são coincidentes. Deodoro teria falado do clima de revolta nos quartéis com a política de Ouro Preto, ao que Floriano respondera ainda haver possibilidade de um entendimento com o governo, oferecendo-se para mediar uma conciliação que acalmasse os ânimos. No entanto, diante da afirmação de Deodoro de que não ficaria satisfeito apenas com palavras, que o momento era de ação, Floriano teria dito: "Enfim, se a coisa é contra os casacas, lá tenho ainda a minha espingarda velha" (cf. Monteiro, 1913:246). Nesse mesmo dia 13, Floriano escreveu ao ministro da Justiça: "A esta hora deve V. Excia. ter conhecimento de que tramam algo por aí além: não dê importância, tanto quanto seria preciso, confie na lealdade dos chefes, que já estão alertas" (cf. Ouro Preto, 1891:46). Para a defesa do governo, seria fundamental que Floriano estivesse disposto a dar combate aos revoltosos. Sua real posição nos momentos finais da Monarquia é impossível de se determinar — por passagens como essa e outras é que ele passaria à história como a maior "esfinge" da política brasileira. Não sabemos se Floriano estava na verdade "manobrando" a favor dos rebeldes — como afirmou um dia Serzedelo Corrêa (1919:19-20), se estava aguardando uma definição da situação para se posicionar, ou se permanecia leal ao governo, rendendo-se, afinal, ao "império das circunstâncias" — ou seria mais apropriado dizer "à república das circunstâncias"? O fato é que tanto golpistas quanto governo contavam com Floriano a seu lado na hora do combate.

A carta de Floriano mencionando que "se tramava algo" foi encaminhada no dia 14 a Ouro Preto, que tomou diversas providências: falou a Maracaju e pediu-lhe que convocasse Deodoro para explicações, mandou chamar Floriano e determinou ao ministro da Justiça que a Polícia e a Guarda Nacional fossem postas em prontidão até que se descobrisse a verdade sobre o que estava acontecendo. Ao final da tarde, o major Sólon resolveu — ao que parece por conta própria, temendo que o governo abortasse o movimento — espalhar a notícia falsa de que o governo dera ordem de prender Deodoro e Benjamin e boatos de que a Polícia e a Guarda Negra atacariam a 2ª Brigada. Há versões discordantes quanto a haver ou não uma data prevista para golpe. De qualquer forma, a atitude de Sólon precipitou os acontecimentos. Durante toda a noite, oficiais inferiores dos regimentos de artilharia e cavalaria, além dos alferes-alunos da ESG, rebelados, organizaram a saída das tropas para atacar o governo. Ouro Preto, informado do que se passava, convoca diversas unidades e se refugia com o ministério no Quartel-General do Exército, de onde deveria ser organizada a resistência ao golpe.

Do lado dos golpistas, toda a preparação da tropa para o combate se deu sem a presença de Benjamin e Deodoro. Ao final da madrugada do dia 15, foram buscar Benjamin em casa, para que comandasse as tropas no deslocamento em direção ao QG. Segundo alguns depoimentos, a ausência de Deodoro era motivo de preocupação, pois só ele teria ascendência suficiente sobre a tropa — especialmente sobre os batalhões de infantaria da 1ª Brigada, que não estavam com os revoltosos —, o que faltava a Benjamin. Ainda na noite anterior, Benjamin teria dito a Francisco Glicério e Aristides Lobo, a respeito da participação de Deodoro: "Creio que ele não amanhece, e se ele morrer a revolução está gorada. Os senhores são civis, podem salvar-se; nós, militares, arrostaremos as conseqüências das nossas responsabilidades" (cf. Monteiro, 1913:213). Tinha-se como certa a impossibilidade física de Deodoro acompanhá-los, dada a gravidade de seu estado de saúde. Para surpresa de todos, no entanto, avisado da movimentação, Deodoro levantou-se e foi ao encontro das tropas sublevadas, já em movimento, que passou então a comandar.

Do lado do governo, Ouro Preto tentava inutilmente organizar a resistência. Em seu livro, diz, a respeito da tropa reunida no pátio do Quartel-General:

> Quem contemplasse aquela força suporia que ali se achava para uma simples parada, ou acompanhamento de procissão. (...) Impressionou-me funda tristeza que se estampava na fisionomia dos oficiais, quer superiores, quer subalternos, com quem cruzava (...) A expressão que neles divisava não era a da calma dos que têm a consciência de cumprir o dever e a resolução de bem desempenhá-lo, mas alguma coisa de incerteza e de angústia (1891:59-60).

As tropas rebeladas entram no Campo de Santana no início da manhã. Seriam talvez uns 600 homens, incluindo os três regimentos da 2ª Brigada e os alferes-alunos da ESG. Marciano havia ido buscar os alunos da Escola Militar da Praia Vermelha, mas eles só chegaram ao Campo quando a situação já havia se resolvido. Em termos táticos, era uma tropa extremamente problemática. Os 16 canhões do regimento de artilharia, sem infantaria para defendê-los, dificilmente poderiam entrar em posição de combate; grande parte dos regimentos de cavalaria seguia a pé e mal municiada; os alferes-alunos da ESG, formados como tropa de infantaria, não constituíam grande reforço; apesar de contatos havidos nos últimos dias, não havia ninguém da Marinha marchando com os revoltosos. Além disso, de oficiais superiores comprometidos com a conspiração republicana, havia apenas Benjamin e Sólon. O tenente-coronel Silva Teles, que comandava interinamente a Brigada, aderira à última hora, após haver inutilmente tentado impedir a entrada em forma da unidade. O major Lobo Botelho, comandante do 2º Regimento de Cavalaria, não estava informado do caráter republicano do movimento; tentara, inutilmente, fazer com que sua unidade desfraldasse a bandeira imperial e respondesse a um viva ao Imperador, ordens prontamente repelidas pelos oficiais inferiores teoricamente sob seu comando. Lobo Botelho acabaria abandonando a coluna revoltosa antes de ela chegar ao Campo de Santana.

A tropa arregimentada pelo governo e disposta no interior ou nas imediações do QG era mais bem estruturada e diversas vezes maior: seriam talvez umas duas mil pessoas, incluindo batalhões de infantaria, fuzileiros navais, marinheiros, Polícia da Corte e Corpo de Bombeiros. Mas não houve disposição em dar combate, apesar das repetidas ordens dadas por Ouro Preto nesse sentido. A única ação em defesa do governo foi isolada: o ministro da Marinha, barão de Ladário, chegando atrasado para unir-se às tropas no interior do QG, sacou sua arma e recebeu alguns tiros; mesmo assim ferido, não morreu. Os revoltosos puderam posicionar seus canhões em frente ao QG sem que fossem incomodados.

Da última vez que ordenou ataque, lembrando a Floriano que no Paraguai os soldados se apoderaram de peças de artilharia em situações muito mais desfavoráveis, Ouro Preto recebeu como resposta: "Mas lá tínhamos em frente inimigos e aqui somos todos brasileiros" (cf. Ouro Preto, 1891:66). Dito isto, não havia mais o que fazer. Ouro Preto reuniu-se com o ministério e capitulou. Deodoro, seguido dos principais militares rebelados, ingressou a cavalo no interior do QG, foi saudado pela tropa e ordenou uma salva de tiros de canhão. Passados alguns instantes, Deodoro entrou na sala em que estava reunido o ministério, seguido de grande número de acompanhantes. A versão de Ouro Preto do que então lhe disse Deodoro é reconhecida em outras fontes como basicamente correta:

> No meio do mais profundo silêncio, cientificou-me de que se pusera à frente do Exército para vingar as gravíssimas injustiças e ofensas por ele recebidas do governo, as quais enumerou (...). Só o Exército, afirmou, sabia sacrificar-se pela pátria e, no entanto, maltratavam-no os homens políticos, que até então haviam dirigido o país, cuidando exclusivamente dos seus interesses pessoais. Apesar de enfermo, não se pudera escusar a dirigir os seus camaradas por não ser homem que recuasse diante de coisa alguma, temendo só a Deus. Aludiu aos seus serviços nos campos de batalha, comemorando que pela pátria estivera durante três dias e três noites combatendo no meio de um lodaçal, sacrifício que eu não podia avaliar. Declarou que o ministério estava deposto e que se organizaria outro de acordo com as indicações que iria levar ao Imperador. Disse que todos os ministros podiam retirar-se para suas casas, exceto eu — homem teimosíssimo, mas não tanto como ele (assim se exprimiu) — e o Sr. ministro da Justiça, que ficaríamos presos até sermos deportados para a Europa. Quanto ao Imperador, concluiu, tem a minha dedicação, sou seu amigo, devo-lhe favores. Seus direitos serão respeitados e garantidos (Ouro Preto, 1891:69-70).

Benjamin, ao lado de Deodoro, acrescentava, sempre que este se referia ao Exército: "e também a Armada". Ao final, Ouro Preto respondeu: "Não é só no campo de batalha que se serve à pátria e por ela se fazem sacrifícios. Estar aqui ouvindo o general, neste momento, não é somenos a passar alguns dias e noites num pantanal.

Fico ciente do que resolve a meu respeito. É o vencedor: pode fazer o que lhe aprouver. Submeto-me à força" (Ouro Preto, 1891:70).

Os motivos para a falta de reação por parte das tropas do governo podem ser encontrados, em parte, nos longos anos de insatisfação profissional dos militares; outra parte deve ser creditada à falta de uma liderança disposta a tomar a iniciativa do combate, tão essencial nesses momentos, e cuja ausência rapidamente transforma situações de clara superioridade tática em derrotas completas; a inabilidade de Ouro Preto no trato com os militares também parece ter dado sua parcela de contribuição para a falta de resistência. Mesmo um monarquista convicto como Eduardo Prado reconhecia, em escritos feitos ainda no calor dos acontecimentos, que existia no Brasil "um exército esquecido, mal organizado, mal instruído e mal pago", além de lamentar o afastamento de Pedro II das coisas militares, o fato de ele ser um rei civil: "O divórcio do Imperador das coisas militares, entendidas à espanhola, foi o que salvou a civilização brasileira, mas foi o que perdeu a Monarquia" (1891:7). O fato é que, naquela manhã de 15 de novembro de 1889, se configurou uma situação de confronto entre "militares" e "casacas" — ou "paisanos"—, vencendo a "classe militar". Não no sentido desejado por Benjamin e pelos jovens republicanos, todavia.

O pronunciamento de Deodoro havia sido o de um militar *troupier*, não o de um republicano — as referências à Guerra do Paraguai e às injustiças sofridas pelo Exército falam por si só. Além disso, ele não falara em mudança de regime ao derrubar o ministério, e sim em entender-se com o Imperador para organizar novo ministério. Essa frase é muitas vezes esquecida nas versões mais favoráveis a Deodoro; em outros casos, ela é atribuída, como fez Sebastião Bandeira, à sua exaltação de ânimos, que lhe teria "anuviado" por um momento o espírito, "levando-o a uma linguagem diversa do pensamento que se havia imposto" (cf. Sena, 1913:107-8). Há também a versão — negada enfaticamente por todos os partidários de Deodoro, e motivo de infindáveis discussões futuras — de que ele teria erguido um "viva" ao Imperador. Menos contestada, entretanto, é a versão de que ele teria reprimido energicamente — com que intenção, também se discute — um viva à República dado por Saturnino Cardoso. O certo é que, na tarde do dia 15, republicanos militares e civis ainda estavam inquietos, por não ter sido formalmente instituída a República. Muitos, incluindo Benjamin, seguiram para a casa de Deodoro. Segundo algumas fontes, apenas a notícia de que o Imperador pretendia convocar Silveira Martins para organizar o novo gabinete o teria decidido pela República; segundo outras, Deodoro só não formalizara que a Monarquia já havia terminado por estar prostrado, em crise de saúde.

O fato é que apenas à noite se formalizou a constituição do governo provisório — Deodoro (presidente), Benjamin (Guerra), Quintino Bocaiúva (Relações Exteriores), Rui Barbosa (Fazenda), Aristides Lobo (Interior), Campos Sales (Justiça), Eduardo Wandenkolk (Marinha) e Demétrio Ribeiro (Agricultura) — e se assinou o primeiro decreto, que dizia, em seu artigo 1º: "Fica proclamada provisoriamente e decretada como forma de governo da Nação Brasileira — A República Federativa". *Provisoriamente* porque, segundo o artigo 7º, se aguardaria "o pronunciamento definitivo da Nação, livremente expressado pelo sufrágio popular" — plebiscito que só seria realizado 104 anos mais tarde.

Conclusão

"Nada mais expressivo da relatividade dos tempos que a fácil dissolução dos futuros em passados."

Gilberto Freyre

Segundo a conhecida frase de Aristides Lobo, o povo assistiu ao golpe "*bestializado*, atônito, surpreso, sem conhecer o que significava".[1] Essa descrição — de um republicano convicto, note-se bem — é confirmada pelo correspondente do *New York Times*: "No one seemed greatly excited"; passando pela rua Primeiro de Março, os vitoriosos deram vivas e confraternizaram com civis, "but there were no wild demonstrations of joy. The people, as a rule, were rather constrained, and looked and acted in a dazed, apathetic way".[2]

Entre os oficiais do Exército e da Marinha que não participaram do golpe, o elemento surpresa e o sucesso do movimento desencorajaram possíveis reações contrárias, se é que estas chegaram a ser pensadas. Não que houvesse um consenso na "classe militar":

---

1. *Diário Popular* (SP), 18/11/1889. Sobre a participação popular nas primeiras décadas republicanas e a crítica à idéia de que a população brasileira era de fato "bestializada", a referência obrigatória é o trabalho de José Murilo de Carvalho (1987).
2. Artigo "The fall of Dom Pedro", *New York Times*, 16/12/1889.

uma carta do visconde de Pelotas a Ouro Preto, de 10/7/1890, é claro exemplo:

> Não julgava possível a República enquanto vivesse o Imperador; e daí a minha surpresa. Se de mim tivesse dependido a sua permanência como chefe da Nação, afirmo que não teria sido deposto. A República teve contra si o haver sido feita por um pronunciamento militar, representado pela quinta parte do Exército. A Nação foi estranha a esse acontecimento, que aceitou como fato consumado (cf. Cameu & Peixoto, 1925:41).

Apesar da aparente apatia popular no momento do golpe, não é verdade, ao contrário do que geralmente se afirma, que a Monarquia não tenha encontrado pessoas dispostas a morrer por ela — além, é certo, do já mencionado barão de Ladário. A grande maioria das praças que integraram as tropas golpistas no 15 de novembro, por exemplo, não estava consciente de que se pretendia derrubar a Monarquia; como vimos, nem alguns oficiais o estavam. Participantes involuntárias do drama, levadas por seus superiores dos quartéis para o Campo de Santana, várias praças logo se arrependeriam do papel que representaram inconscientemente. Um exemplo: pouco mais de um mês após a instauração da República, em 18 de dezembro, estoura uma rebelião no 2º Regimento de Artilharia, justamente uma das unidades que haviam participado do golpe. Um republicano civil que assistiu à prisão dos soldados revoltosos diz que "eram trinta ou quarenta, quase todos pretos ou mulatos" (Albuquerque, 1981:121). O governo provisório impediu que a imprensa noticiasse a revolta, e dessa forma nossas informações se reduzem ao que ficou registrado de forma esparsa em poucas fontes.

Revoltas isoladas contra a República nascente estouraram também em outros pontos do país, sempre protagonizadas por praças. Telegramas enviados de Desterro (atual Florianópolis), no dia 18 de novembro, informam a Benjamin Constant, ministro da Guerra, que um batalhão se sublevara dando vivas à Monarquia e que, para acabar com a revolta dos soldados, "foi necessário mandar fazer fogo, resultando dois a três mortos. Não sabemos destino de perto de 30 soldados".[3] Já uma carta do alferes comandante do pequeno destacamento da foz do rio Apa, em Mato Grosso, enviada a Benjamin Constant, diz que recebera o comunicado sobre a proclamação da

3. BC, REP/mg 8891116.

República apenas no dia 20 de dezembro, publicando-o então em sua ordem-do-dia. À noite, alguns soldados deram morras à República e vivas à Monarquia, declarando não aderirem à nova forma de governo, porque haviam sido libertados em 13 de maio pela princesa Isabel. O alferes mandou prendê-los, mas resistiram à prisão e atacaram a guarda do quartel. Um dos revoltosos, após ferir três pessoas, avançou para o alferes, "declarando que não me reconhecia como seu superior, e que havia de beber o meu sangue". O alferes deu-lhe um tiro, morrendo o soldado na manhã do dia seguinte. O quartel foi incendiado na madrugada por soldados. O alferes diz ainda que comandava 25 praças insubordinadas, "em sua maioria, assassinos, capoeiras, desordeiros, ladrões e bêbados".[4] Tais notícias já são suficientes para mostrar — ao contrário do que o senso comum histórico imagina —[5] que houve, sim, militares dispostos a morrer pela Monarquia.

Muito maior que o número de descontentes e opositores foi, no entanto, a parcela da população que, de um dia para o outro, se tornou "convictamente" republicana — a tal ponto que uma crônica de época feita pelo jornalista Campos Porto, simpático à República, fala da "*aderite* que afetou como epidemia a população do Brasil" imediatamente após 15 de novembro: "A bem dizer, e com franqueza, *não aderir* seria neste momento a posição mais interessante para aquele que amasse a notoriedade" (Porto, 1990:132-4).

O otimismo entre os vitoriosos era grande, principalmente entre a "mocidade militar". Alunos da Escola Militar encabeçaram uma subscrição popular para pagar a dívida externa brasileira, que em pouco tempo contou com numerosas adesões. Em mensagem enviada a Benjamin Constant no dia 17, muitos alunos e oficiais inferiores diziam estar "de joelhos, ante a imagem sacrossanta da Pátria sobre a qual o sol da Liberdade bate em cheio". Esses autodenominados "soldados da República" encerravam seu agradecimento a Benjamin pedindo que fosse "o intérprete dos nossos sentimentos junto dos lutadores que convosco venceram em 15 de novembro" (cf. Mendes, 1913, II:233-9). A gratidão era recíproca: a mulher e as filhas de Benjamin resolveram fazer, elas mesmas, duas bandeiras da

---

4. BC, REP/procl 8900212.
5. Uma exceção é o trabalho de Janotti (1986) que menciona, embora brevemente, essas revoltas de praças.

República para oferecer à ESG e à Escola Militar, “como pequena prova de gratidão pela dedicação e interesse que os alunos destas escolas têm sempre dedicado a papai” — anota Bernardina em seu diário do dia 25 de novembro. Neste mesmo dia, aliás, Euclides da Cunha visitou Benjamin para agradecer ter sido readmitido alferes-aluno. Em sua última aparição pública, numa sessão do Clube Militar em 9/11/1890, Benjamin iria referir-se ainda uma vez à sua farda de tenente-coronel, que “havia sido honrada, santificada pelos dignos moços da Escola Militar em junho de 1888, e sagrada no dia 15 de novembro no Campo da Proclamação”.[6]

Nos primeiros dias da República, Campos Porto escreveu:

> De vento em popa, pandas as velas, vai em rumo à prosperidade a nau governamental. O mar de rosas está em completa calmaria, a brisa sopra docemente e o céu está inteiramente azul. No horizonte não se divisa nem uma nuvem negra; o Cruzeiro destaca-se brilhantemente; embaixo, Sirius; bem em cima, a Via-láctea mostra-nos a estrada larga que devemos seguir na organização da República (Porto, 1990:148).

Este livro encerra-se aqui, no momento em que a “terra da promissão” parecia ter sido alcançada, o futuro tornado presente. Descrever os primeiros anos da República e como esse futuro rapidamente se dissolveu em passado é tarefa para outra pesquisa. Gostaria, no entanto, para encerrar, de fazer algumas indicações a respeito do destino da “mocidade militar”.

O golpe de 1889 proporcionou aos militares benefícios imediatos. No dia 19 de dezembro foi decretada uma reorganização do Exército que, sem alterar significativamente seu efetivo total, ampliou consideravelmente o número de unidades, o que denuncia o principal espírito da reforma: abrir vagas para promoções. De fato, as promoções foram aceleradas e diversos oficiais mais velhos foram reformados compulsoriamente. Dos 28 generais da ativa em 1890, dez foram promovidos nesse ano, e nove, reformados; dentre os 54

---

6. BC, REP/Club.Mil. 890111.

tenentes-coronéis de 1889, em 1891 quatro eram generais-de-brigada, 30 coronéis e 20 foram reformados (Schulz, 1994:144-5). O ano de 1889 encerrou-se com um aumento de 50% nos soldos militares, assim elevados aos maiores níveis reais do século. Em janeiro de 1890, uma grande lista de promoções "por serviços relevantes" beneficiou praticamente todos os oficiais envolvidos na conspiração. Ainda em 1890, foi criado um montepio para as famílias dos oficiais do Exército.

Com a ascensão de Deodoro à presidência, os oficiais a ele ligados progrediram rapidamente na carreira: seu sobrinho e agora ajudante-de-ordens Hermes, por exemplo, capitão em 1889, foi promovido a major em janeiro e a tenente-coronel em outubro de 1890. Não menos significativa foi a ascensão de grande parte da "mocidade militar": Lauro Sodré, por exemplo, que, antes do golpe, era tenente e auxiliar de ensino na ESG, foi, em novembro de 1889, nomeado lente substituto, em janeiro de 1890 promovido a capitão, em março promovido a major e, ainda em 1890, passou a lente catedrático; o tenente Jaime Benévolo foi promovido a capitão e a major em 1890, além de tornar-se professor catedrático da Escola Militar; o aluno José Maria Moreira Guimarães foi promovido a alferes-aluno, segundo-tenente, primeiro-tenente e capitão, além de ter sido ajudante-de-ordens do governador de seu estado natal, Sergipe, e aprovado para professor do Colégio Militar — tudo isso nos anos de 1890 e 1891.

Nos cinco primeiros anos da República, jovens "científicos" não só progrediram rapidamente em suas carreiras, como também passaram a ocupar posições geralmente reservadas, no Império, à elite política dos bacharéis em direito. Apenas para citar alguns exemplos, foram eleitos para a Constituinte instalada em 1890 — que tinha 40 militares entre seus 205 membros — Serzedelo Corrêa (32 anos), Lauro Sodré (32), Caetano de Faria (32), Ivo do Prado (30), Setembrino de Carvalho (29), Barbosa Lima (28), José Bevilacqua (27), Lauro Müller (27) e Tasso Fragoso (21). Além disso, Lauro Sodré foi governador do Pará com 33 anos; Serzedelo Corrêa, do Paraná, com 32; Barbosa Lima, de Pernambuco, aos 30; e Ximeno de Villeroy e Lauro Müller governadores do Amazonas e de Santa Catarina, respectivamente, com 27 anos. Serzedelo Corrêa, durante o governo Floriano, seria, com 33-34 anos, sucessivamente ministro das Relações Exteriores, da Agricultura, Comércio e Obras Públicas e da

Fazenda. Constituiu-se no Brasil, portanto, quase que uma "neocracia", na expressão crítica de Joaquim Nabuco (cf. Freyre, 1959, I:51).

Essa meteórica ascensão social se deu, todavia, em meio ao caos. Este termo não é forte para designar a primeira década republicana. Como afirma Lessa, "nem mesmo os que acreditam ter a História algum sentido podem honestamente supor que havia ordem subjacente e invisível a regular o caos da primeira década republicana no Brasil" (1988:49). Foram anos marcados por conflitos em todos os níveis.

A frágil unidade da "classe militar", forjada pouco antes do golpe entre a "mocidade militar" liderada por Benjamin Constant e um pequeno grupo de oficiais *troupiers*, próximos a Deodoro, desfez-se em pouco tempo. Benjamin não permaneceu muito tempo no Ministério da Guerra; em abril de 1890, assumiu o recém-criado Ministério da Instrução Pública, Correios e Telégrafos, passando Floriano Peixoto a ocupar o Ministério da Guerra.

O motivo mais visível da disputa entre Benjamin e Deodoro — e os grupos de militares a eles ligados — são acusações recíprocas de favorecimento em promoções e nomeações. Por trás disso, no entanto, não é difícil perceber o afloramento de diferenças irredutíveis entre oficiais de orientação "científica" e *troupiers*. Esse processo culminou em uma reunião ministerial em setembro de 1890, quando Deodoro e Benjamin quase brigaram fisicamente. No auge da discussão, exaltado, Deodoro teria acusado Benjamin de promover "uns bigorrilhas, uns troca-tintas de botequins e esquinas", como os oficiais "científicos" Aníbal e Saturnino Cardoso e Tomás Cavalcanti, entre outros (Sena, 1913:153). Ao final da discussão, Benjamin chamou Deodoro de "monarca de papelão", e este retrucou desafiando-o para um duelo. O "deixa-disso" dos presentes, seguido, dias depois, por um pedido de desculpas da parte de Deodoro — visivelmente feito a contragosto —, não impediu que os rancores entre "científicos" e "tarimbeiros" atingissem um ponto sem volta.

Na última sessão do Clube Militar de que Benjamin participaria, em 9/11/1890, em comemoração ao primeiro aniversário da sessão que lhe delegou plenos poderes para resolver a situação da "classe militar", foi homenageado pelos alunos da ESG e da Escola Militar. Em seu discurso, disse: "O soldado brasileiro só distingue-se do cidadão civil pela farda e nada mais".[7] Benjamin já estava, nessa época, muito doente; veio a morrer em 22/1/1891. O ideal do "soldado-cidadão" não lhe sobreviveria muito tempo.

A eleição de Deodoro pelo Congresso no mês seguinte para um mandato presidencial de quatro anos, em meio a ameaças de golpe caso não fosse eleito, acirrou as divergências entre os militares. Uma carta de Tasso Fragoso a José Bevilacqua, de 5/5/91, demonstra bem o estado de espírito dos jovens "científicos":

> Sob o ponto de vista político a nossa situação é a mais desgraçada política, e eu só tenho fé num movimento reacionário vindo do exterior, isto é, dos estados; trabalhem pois, nesse sentido aí. O infame do chefe do Estado, apoiado na infantaria, zomba do conjunto da população e pensa que há de governar a baionetas, com essa infantaria *chinfrim* que possui.

A senha anunciada por Tasso Fragoso para quando estourasse o novo movimento revolucionário — agora contra Deodoro — não podia ser mais significativa: "Benjamin".

Problemas hierárquicos entre jovens oficiais "científicos" e oficiais mais graduados conheceram seu ápice durante o governo Floriano Peixoto, que assumiu a presidência após uma fracassada tentativa por parte de Deodoro de governar com poderes absolutos. Floriano teve um de seus apoios mais sólidos, em grande parte, nos jovens oficiais "científicos", que passaram a ver nele o "consolidador" das instituições republicanas. Quando 13 generais divulgaram um manifesto, em 1892, pedindo a Floriano que convocasse eleições presidenciais como modo de impedir o surgimento "da mais completa anarquia", o Clube Militar aprovou uma proposta dos tenentes Tasso Fragoso e Ximeno de Villeroy, que resolvia "eliminar do seu meio" os sócios que assinaram o manifesto. Como um general observou na ocasião, eram "os discípulos castigando os mestres! (...) ao major e ao capitão é lícito interpretar a Constituição, aos generais não!" (Caldas, 1892:47). Durante o governo de Floriano, foram presos Clodoaldo e Hermes da Fonseca, Mena Barreto e outros oficiais ligados a Deodoro. Este, antes de morrer, em 1892, pedira demissão do Exército e, desiludido, exigira ser enterrado em trajes civis.

Com a República, as tradicionais rivalidades entre Exército e Marinha foram intensificadas, culminando na Revolta da Armada de 1893-1894. Mesmo dentro da Marinha — em grande parte ainda

---

7. BC, REP/Club.Mil. 8901113.

monarquista —, havia divisões, com falta de cooperação entre os almirantes Wandenkolk, Custódio de Melo e Saldanha da Gama. A anarquia desses anos iniciais da República levou ao surgimento, entre a elite civil, de um consenso: era preciso afastar os militares da política e retomar o controle do sistema político. As oligarquias estaduais, lideradas pela paulista, começaram a retomar o domínio da situação com a eleição de Prudente de Morais para suceder a Floriano. Pouco depois, com Campos Sales, iniciava-se a "política dos governadores", que perduraria até a Revolução de 1930.

Com a morte de Floriano em 1895, uma parte do que fora a "mocidade militar" se liga ao jacobinismo. A Escola Militar da Praia Vermelha revolta-se em março de 1895, maio de 1897 e por fim em novembro de 1904, durante a Revolta da Vacina. Esta teve como líderes militares os "científicos" Lauro Sodré e Barbosa Lima, que pregavam o retorno à República ideal com a qual os conspiradores de 1889 haviam sonhado. Com a derrota da Revolta da Vacina, a Escola Militar da Praia Vermelha foi definitivamente fechada. Encerrava-se, assim, a história do "Tabernáculo da Ciência".

Nas três primeiras décadas do século XX, os "científicos" que continuavam politicamente ativos foram derrotados duplamente: dentro do Exército e na arena política. Com o movimento de reforma do Exército iniciado por Hermes da Fonseca em 1905 e que culminaria na contratação da Missão Militar Francesa no início da década de 1920, os "científicos" ficaram na contramão das medidas profissionalizantes. Ximeno de Villeroy, por exemplo, criticava em 1928 a situação dos meios militares, "em geral dominados pelo espírito tarimbeiro" (Villeroy, 1928:2); Tobias Coelho, orgulhoso de ser um "bacharel fardado", criticava o novo regulamento militar — "regulamento de alfafa" —, que substituíra o "alferes-aluno" pelo "aspirante-a-oficial", e também o fato de a Missão Militar Francesa aprovar no curso de estado-maior muitos oficiais que, durante todo o curso "científico" da antiga Escola Militar da Praia Vermelha, haviam sido medíocres: "Coisa notável, todos os oficiais que fizeram figura triste na Escola Militar antiga, tiraram o curso missionário, em um ano, com o célebre *très bien*" (Coelho, 1935:169).

Também na política diversos remanescentes da "mocidade militar" foram derrotados. Barbosa Lima e Lauro Sodré, por exemplo, que estiveram na Revolta da Vacina, haviam sofrido, pouco antes, derrotas políticas em seus estados. Militares continuaram atuando politicamente durante todo o restante da Primeira República, mas em número muito menor do que durante os primeiros anos do novo regime. No início da década de 1920, a geração de 1889 chegava ao fim. Muitos dos jovens oficiais revolucionários do final do Império haviam abandonado a política e se resignado à carreira militar — Bevilacqua, Tasso Fragoso, Rondon, por exemplo;[8] outros haviam definitivamente trocado a carreira militar pela política; muitos estavam reformados ou mortos. O radicalismo militar passava a ser manifestado, nessa década de 1920, por outros "tenentes".

A "mocidade militar" havia muito não existia mais. Ela morreu no dia seguinte ao golpe vitorioso que iniciava a República tão sonhada. A homogeneidade de pensamento e ação manifestada pelos jovens "científicos" antes de 1889 dissolveu-se rapidamente no exercício do poder, que matou o "soldado-cidadão". Seu melhor epitáfio encontra-se na carta em que Serzedelo Corrêa — agora abandonado pela fortuna — pedia, da prisão em que se encontrava, demissão do Exército, em 28/9/1893:

> É com saudade e pesar que deixo a carreira militar; mas a verdade é que a situação em que me acho convenceu profundamente meu espírito da radical incompatibilidade entre a política e a disciplina, entre as opiniões livres do homem político e os deveres da obediência fria, mas honrosa do soldado (cf. Rego, 1988:34).

A história escrita pelos protagonistas do golpe de 1889 deixara, no entanto, inscrita na história política do país, a visão de que um grupo "esclarecido" de militares pode "salvar" a Nação, em seu nome.

---

8. Tasso Fragoso chefiou por muitos anos o Estado-Maior do Exército, integrou a junta militar que depôs o presidente Washington Luís em 1930 e escreveu um extenso livro sobre a Guerra do Paraguai. Rondon, após atuar na Comissão Construtora de Linhas Telegráficas e na chefia do Serviço de Proteção aos Índios, foi promovido a general em 1919, tornando-se Diretor de Engenharia do Exército. Bevilacqua passou para a reserva em 1922 no posto de marechal graduado.

Agradecimentos

Este livro é uma versão revista da tese de doutorado que defendi em 23/6/95 no Programa de Pós-Graduação em Antropologia Social (PPGAS) do Museu Nacional da Universidade Federal do Rio de Janeiro. Sou muito grato aos membros da banca examinadora, professores Gilberto Velho (presidente), Laura de Mello e Souza, José Murilo de Carvalho, Luiz Fernando Duarte e Otávio Velho, pela leitura cuidadosa da tese e pelo incentivo para sua publicação.

Realizar este trabalho só se tornou possível com a ajuda de pessoas e instituições às quais gostaria de agradecer. Gilberto Velho orientou minhas atividades acadêmicas desde 1987, quando iniciei o curso de mestrado. Durante oito anos e meio, desempenhou papel fundamental em minha formação de antropólogo. Orientador sempre presente, tive o privilégio adicional de contar com sua amizade.

No mesmo período, estive vinculado a duas instituições. No Centro de Pesquisa e Documentação de História Contemporânea do Brasil (CPDOC) da Fundação Getulio Vargas, onde sou pesquisador desde 1986, recebi todo o apoio para meu desenvolvimento acadêmico. No PPGAS/Museu Nacional/UFRJ, encontrei um clima de seriedade intelectual que tornou esses anos de estudo uma experiência memorável. Agradeço aos colegas, professores e funcionários dessas instituições. Este livro é uma pequena retribuição pelo muito que me deram.

Entre setembro de 1991 e agosto de 1992 fui *Visiting Researcher* no Center for Latin American Studies da Universidade da Flórida, enquanto recebia uma bolsa-sanduíche da CAPES. Foi uma experiência pessoal e acadêmica muito rica, e por ela sou grato ao professor Gláucio Soares. Na fase de pesquisa, fui recebido com grande cordialidade no Museu Casa de Benjamin Constant. Durante os vários meses em que consultei os arquivos de Benjamin Constant e José Bevilacqua, encontrei em Renato Lemos um importante interlocutor, e com ele partilhei várias de minhas emoções de pesquisa. Agradeço também ao comando da Academia Militar das Agulhas Negras, que me autorizou a pesquisar na biblioteca da instituição, e a Gilberto Ferrez, que gentilmente cedeu a fotografia da Escola Militar para a capa do livro.

Em diferentes fases da realização deste trabalho, pude contar com o dedicado auxílio de três bolsistas de iniciação científica do CNPq: Adriana Barreto de Souza, Adriana Facina Gurgel do Amaral e Fábio Siqueira. Os professores José Luiz Werneck da Silva, Luiz de Castro Faria, Afrânio Garcia e José Murilo de Carvalho contribuíram com sugestões e incentivo. Do CNPq e da CAPES recebi bolsas de estudo durante parte do curso de doutorado.

Com Hermano Vianna e Luís Rodolfo Vilhena, companheiros de uma mesma jornada intelectual e acadêmica, tenho tido o prazer de desfrutar uma amizade que, espero, seja duradoura. Em Maria Celina D'Araujo e Piero Leirner, mais que proximidade de interesses, encontrei amizade. Com Juva Batella e Dora Rocha, que fizeram a cuidadosa revisão do texto final, contraí uma dívida de gratidão que dificilmente poderei retribuir. Evaldo Ramos proporcionou o apoio logístico para a impressão da tese, e Vera Herrmann, para a sua comemoração. Agradeço ainda a meus pais, Aldayr e Clemilde, a meu irmão, Célio, e aos amigos, que desculparam meus longos períodos de misantropia durante o doutorado.

Dedico este livro a Karina Kuschnir. Sem ela e o nosso paraíso particular, tudo teria menos graça e seria mais difícil.

BIBLIOGRAFIA

Adorno, Sérgio. *Os aprendizes do poder*. Rio, Paz e Terra, 1988.

Albuquerque, Medeiros e. *Quando eu era vivo*. Rio, Record, 1981.

Almeida, Isnard. *O Clube Militar de 1887 a 1978*. Clube Militar, 1978, dat., v. 1.

Araripe, Tristão de Alencar. *Tasso Fragoso*. Rio, Bibliex, 1960.

Araújo, Oscar d'. *Le fondateur de la République Brésilienne*. Paris, 1891.

Ardao, Arturo. "Assimilation and transformation of Positivism in Latin America", in: Woodward Jr., Ralph Lee (org.). *Positivism in Latin America, 1850-1900*. D. C. Heath & Co., 1971, p. 11-6.

Assis, Machado de. *Crônicas escolhidas*. São Paulo, Ática/Folha de S. Paulo, 1994.

Azevedo, Fernando de. *A cultura brasileira*. São Paulo, Melhoramentos/Edusp, 1971.

Azzi, Riolando. *A concepção da ordem social segundo o positivismo ortodoxo brasileiro*. São Paulo, Loyola, 1980.

Barros, Roque Spencer Maciel de. *A ilustração brasileira e a idéia de universidade*. São Paulo, FFCL/USP, 1959.

Beattie, Peter M. *Transforming enlisted Army service in Brazil 1864-1940*. Tese de doutorado, University of Miami, 1994.

Bergstresser, Rebecca Baird. *The movement for the abolition of slavery in Rio, Brazil, 1880-1889*. Tese de doutorado, Stanford University, 1973.

Billington, James H. "The *intelligentsia* and the religion of humanity". *American Historical Review*, LXV (1960), p. 807-21.

Bittencourt, Liberato. "Singular teorema de psicologia literária: Benjamin Constant". *Revista do Clube Militar*, n. especial, out. de 1936, p. 60-71.

Boehrer, George C. A. *Da Monarquia à República*. Rio, MEC, 1960.

———. "The Brazilian republican revolution: old and new views". *Luso-Brazilian Review*, vol. III, n. 2, dez. 1966, p. 43-57.

Bomilcar, Álvaro. "Os enjeitados na história: coronel Manuel Luís de Melo Nunes". *Revista do Clube Militar*, jan. 1941, p. 72-4.

Bourdieu, Pierre. *A economia das trocas simbólicas*. 2ª ed., São Paulo, Perspectiva, 1982.

———. *La noblesse d'Etat*. Paris, Minuit, 1989.

Brasil, Joaquim Francisco de Assis. "A República federal" (1881), in: *A democracia representativa na República; antologia.* Brasília, Câmara dos Deputados, 1983.

Caldas, Honorato Cândido Ferreira [pseud. Kleber]. *A legalidade de 23 de novembro.* Rio, 1892.

Câmara, Rinaldo Pereira da. *O marechal Câmara.* Porto Alegre, Globo, 1964.

Cameu, Francolino; Peixoto, Artur Vieira. *Floriano Peixoto.* Rio, A Noite, 1925.

Cardoso, Vicente Licínio. "Benjamin Constant, o Fundador da República", in: Vicente Licínio Cardoso (org.). *À margem da história da República.* Brasília, UnB, 1981, tomo II, p. 81-94.

Carvalho, José Murilo de. "As Forças Armadas na Primeira República: o poder desestabilizador". *História Geral da Civilização Brasileira 9.* Rio; São Paulo, Difel, 1978, p. 180-234.

———. *A construção da ordem.* Rio, Campus, 1980.

———. *Os bestializados.* São Paulo, Companhia das Letras, 1987.

———. *Teatro de sombras.* São Paulo,Vértice; Rio, Iuperj, 1988.

———. *A formação das almas.* São Paulo, Companhia das Letras, 1990.

Carvalho, Setembrino de. *Memórias.* Rio, 1950.

Castro, Agostinho R. G. de. *Benjamin Constant.* Rio, Leuzinger, 1907.

———. *A pátria brasileira.* s/ed., 1922.

Castro, Celso. *O espírito militar: um estudo de antropologia social na Academia Militar das Agulhas Negras.* Rio, Jorge Zahar, 1990.

Charle, Christophe. *Les élites de la République (1880-1900).* Paris, Fayard, 1987.

Cidade, Francisco de Paula. *Cadetes e alunos militares através dos tempos.* Rio, Bibliex, 1961.

Clark, Linda L. *Social Darwinism in France.* The University of Alabama Press, 1984.

Coelho, Edmundo Campos. *Em busca de identidade: o Exército e a política na sociedade brasileira.* Rio, Forense, 1976.

———. "A instituição militar no Brasil: um estudo bibliográfico", *BIB* n. 19, Rio, 1º sem. 1985.

Coelho, Tobias. *O Exército internamente.* Rio, Alba, [1935?].

Conry, Yvette. *L'introduction du darwinisme en France au XIXe siécle.* Paris, Vrin, 1974.

Constant Neto, Benjamin. *Benjamin Constant.* Rio, Leuzinger, 1940.

Corrêa, Inocêncio Serzedelo. *Páginas do passado.* Rio, Jornal do Brasil, 1919.

Correia, Leoncio. *A verdade histórica sobre o 15 de novembro.* Rio, Imprensa Nacional, 1939.

Costa, Emília Viotti da. "A proclamação da República". *Anais do Museu Paulista* XIX (1965), p. 169-207.

Costa, João Cruz. *O positivismo na República.* São Paulo, Cia. Ed. Nacional, 1956.

Costa, Valeriano. *Ressentimento e revolta.* USP, 1990, 2 v. (dissertação de mestrado, Dept. de Sociologia).

Costa, Wilma Peres. *A espada de Dâmocles.* USP, 1990, 2 v. (tese de doutorado).

Cunha, Euclides da. *Obra completa.* Rio, Aguilar, 1966, 2 v.

———. *Euclides da Cunha.* Org. por Walnice Nogueira Galvão. São Paulo, Ática, 1984.

Cunha, Joaquim Marques da. *Quinze de Novembro.* Rio, Imprensa Militar, 1924.

Cunha, Rui Vieira da. *Estudo da nobreza brasileira.* Rio, Arquivo Nacional, 1966.

Doca, Sousa. "A Questão Militar", in: *A República Brasileira,* 1939, p. 19-73.
Dudley, William S. *Reform and radicalism in the Brazilian Army, 1870-1889.* Tese de doutorado, Columbia University, 1972.
Duque-Estrada, Osório. *A abolição.* Rio, Liv. Ed. Leite Ribeiro & Maurillo, 1918.
Eisenstadt, S. N. "Introduction", in: S. N. Eisenstadt (org.). *Max Weber on charisma and institution building.* The University of Chicago Press, 1968, p. ix-lvi.
Firth, Raymond. *Elementos de organização social.* Rio, Zahar, 1974.
Fleiuss, Max. *História administrativa do Brasil.* 2ª ed., São Paulo, Melhoramentos, 1925.
Forbes, Geraldine Hancock. *Positivism in Bengal.* South Asia Books, 1975.
Foucault, Michel. *Vigiar e punir.* 5ª ed., Petrópolis, Vozes, 1987.
———. *Microfísica do poder.* 8ª ed., Rio, Graal, 1989.
Freyre, Gilberto. *Ordem e progresso.* 3ª ed., Rio, J. Olympio, 1974, 2 v.
———. *Sobrados e mucambos.* 5ª ed., Rio, J. Olympio, 1977, 2 v.
Geertz, Clifford. "Centers, kings, and charisma", in: *Local knowledge.* Nova York, Basic Books, 1983, p. 121-46.
———. *A interpretação das culturas.* Rio, Guanabara, 1989.
Guimarães, José Maria Moreira. "Um pouco de história", *Revista do Clube Militar,* n. 24, ag. 1932, p. 1-2.
Hahner, June. "The Brazilian armed forces and the overthrow of the monarchy: another perspective". *The Americas,* 26:2 (out. 1969), p. 171-82.
———. *Relações entre civis e militares no Brasil (1889-1898).* São Paulo, Pioneira, 1975.
Holanda, Sérgio Buarque de. "A caminho da República". *História Geral da Civilização Brasileira,* v. 7. São Paulo, Difel, 1972, p. 281-360.
Huntington, Samuel P. *The soldier and the State.* Harvard, Belknap Press, 1957.
Janotti, Maria de Loudes Mônaco. *Os subversivos da República.* São Paulo, Brasiliense, 1986.
Janowitz, Morris. *The professional soldier.* Nova York, Free Press, 1960.
Leal, Alexandre. "Reminiscências". *Revista do Clube Militar* n. 50, 1939, p. 42-3.
Lessa, Renato. *A invenção republicana.* São Paulo, Vértice; Rio, Iuperj, 1988.
Lins, Ivan. *Benjamin Constant.* Rio, J. R. de Oliveira, 1936.
———. *História do positivismo no Brasil.* São Paulo, Cia. Ed. Nacional, 1964.
Lopes, Luís Artur. "Eu fui cadete da Escola Militar da Praia Vermelha de 1889". *Revista do Clube Militar,* abr. 1961, p. 37-44.
Macedo, Roberto da Mota. *O Fundador da República.* Rio, Liv. São José, [1971?].
Machado, Eurico Serzedelo. *Um republicano — a vida de Inocêncio Serzedelo Corrêa.* Rio, Cia. Ed. Americana, 1972.
Magalhães, João Batista. "História da evolução militar do Brasil", in: *Anais do IV Congresso de História Nacional.* Rio, Imprensa Nacional, 1950. v. 6, p. 347-607.
Magalhães Júnior, R. *Deodoro: a espada contra o Império.* São Paulo, Cia. Ed. Nacional, 1957, 2 v.
Mena Barreto, João de Deus. *Os Mena Barreto.* Rio, Laemmert, 1950.
Mendes, Raimundo Teixeira. *Benjamin Constant. Esboço de uma apreciação sintética da vida e da obra do fundador da República brasileira.* 2ª ed., Rio, Apostolado Positivista do Brasil, 1913. 2 v.

Mitchell, Gilberto de Medeiros. *O Clube Militar (síntese de sua história).* Clube Militar, 1978, dat.
Monteiro, Afonso. *Reminiscências.* Instituto dos Docentes Militares, 1921, p. 29-45.
Monteiro, Tobias. *Pesquisas e depoimentos.* Rio, 1913.
Moraes, Evaristo de. *Da Monarquia para a República: 1870-1889.* 2ª ed., Brasília, UnB, 1985 [1936].
Moraes, L. C. "Página de saudade". *Revista do Clube Militar,* abr. 1961, p. 50-3.
Moreira, A. Ilha. *Proclamação e fundação da República.* Rio, Imprensa Nacional, 1947.
Mota, Jeová. *Formação do oficial do Exército.* Rio, Cia. Bras. de Artes Gráficas, 1976.
Moura, Hastimphilo de. *Da Primeira à Segunda República.* Rio, Pongetti, 1936.
Nachman, R. *Brazilian Positivism as a source of middle sector ideology.* Tese de doutorado, University of California, 1972.
Oliveira, Samuel de. "Exército versus plutocracia e negrofobia", in: *Reminiscências.* Instituto dos Docentes Militares, 1921, p. 15-9.
Ouro Preto, visconde de (Afonso Celso de Assis Figueiredo). *Advento da ditadura militar no Brasil.* Paris, F. Pichon, 1891.
Paim, Antônio (seleção e introdução). *O Apostolado Positivista e a República.* Brasília, UnB, 1981.
Paul, Harry W. *From knowledge to power.* Cambridge University Press, 1985.
Peregrino, Umberto. "Euclides da Cunha e a vida militar". *Revista do Instituto de Geografia e História Militar* n. 7, 1945, p. 115-27.
———. *História e projeção das instituições culturais do Exército.* Rio, J. Olympio, 1967.
Porto, Manuel Ernesto de Campos. *Apontamentos para a história da República.* São Paulo, Brasiliense/CNPq, 1990 [ed. orig. 1890].
Prado, Eduardo [pseud. Frederico de S.] *Fastos da ditadura militar no Brasil.* 4ª ed. Pelotas, 1891.
Queiroz, Suely R. R. de. *Os radicais da República.* São Paulo, Brasiliense, 1986.
Rabelo, Sílvio. *Euclides da Cunha.* Rio, Civilização Brasileira, 1966.
Ralston, David B. *Importing the European Army.* The University of Chicago Press, 1990.
Rego, Clóvis Moraes. *Serzedelo Corrêa, homem de pensamento.* Belém, Cejup, 1988.
Sahlins, Marshall. *Ilhas de história.* Rio, Jorge Zahar, 1990.
Salles, Ricardo. *Guerra do Paraguai: escravidão e cidadania na formação do Exército.* Rio, Paz e Terra, 1990.
Schulz, John H. *O Exército na política.* São Paulo, Edusp, 1994 [Publicação, com modificações, de *The Brazilian Army and politics, 1850-1894.* Tese de doutorado, Princeton University, 1973].
Schutz, Alfred. *Fenomenologia e relações sociais.* Rio, Zahar, 1979.
Seixas, Demétrio. *O golpe de Estado de 15 de novembro.* Porto Alegre, 1890.
Severo, Alfredo. *Crônica de saudades.* Rio, Jornal do Comércio, 1939.
Shils, Edward A. "Charisma, order and status". *American Sociological Review,* 30 (1965):199-213.
Silva, José Faustino da. *O positivismo às claras* [Fortaleza, 1898?].
Simmel, Georg. *Sociología.* Buenos Aires, Espasa-Calpe, 1939, 2 v.
Simon, W. M. *European Positivism in the nineteenth century.* Ithaca, NY, Cornell University Press, 1963.

Sodré, Emanuel. *Lauro Sodré na história da República.* 1970.
Sodré, Lauro. *Palavras e atos.* Belém, 1896.
———. "Benjamin Constant", *Revista Acadêmica Militar,* 1903, p. 358-77.
———. *Benjamin Constant.* Rio, Typ. Hildebrand, 1915.
Sousa, Eusébio. *Tibúrcio.* Fortaleza, 1937.
Taunay, visconde de. *Império e República.* São Paulo, Melhoramentos, 1933.
Torres, J. C. de Oliveira. *O positivismo no Brasil.* Petrópolis, Vozes, 1943.
Tucker, Robert C. "The theory of charismatic leadership". *Dædalus* 3, 1968, p. 731-56.
Velho, Gilberto. *Individualismo e cultura.* 2ª ed., Rio, Jorge Zahar, 1987.
———. *Projeto e metamorfose.* Rio, Jorge Zahar, 1994.
Venâncio Filho, Alberto. *Das arcadas ao bacharelismo.* São Paulo, Perspectiva, 1977.
Viana, Lobo. "Reminiscências da lendária Escola Militar da Praia Vermelha", in: Cidade (1961), p. 63-89.
Vianna, Oliveira. *O ocaso do Império.* 2ª ed., São Paulo, Melhoramentos, 1933.
Villeroy, Augusto Ximeno de. *Benjamin Constant e a política republicana.* Rio, 1928.
———. "Benjamin Constant: resumo de sua vida e atuação política". *Revista do Clube Militar,* n. especial, out. 1936, p. 78-98.
Viveiros, Esther de. *Rondon conta sua vida.* Rio, Liv. São José, 1958.
Weber, Max. *Ensaios de sociologia.* 4ª ed., Rio, Zahar, 1979.
———. *Economia e sociedade.* Brasília, UnB, 1991, v. 1.
Zea, Leopoldo. *Dos etapas del pensamiento en hispanoamerica.* El Colégio de México, 1949.
———. "Positivismo na América Latina", in: *Dicionário de Ciências Sociais.* Rio, FGV, 1987, 2ª ed., p. 939-41.